D0234887

Robert Bernier

à Kimon Valaskakis
avec les amitiés
de l'auteur
R. B.

LE MARKETING GOUVERNEMENTAL AU QUÉBEC : 1929-1985

gaëtan morin
éditeur

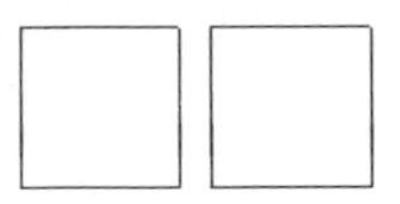

gaëtan morin éditeur
C.P. 2400, SUCC. C, MONTRÉAL, QUÉBEC, CANADA
H2L 4K6 TÉL. : (514) 522-0990

ISBN 2-89105-297-8

Dépôt légal 4e trimestre 1988
Bibliothèque nationale du Québec
Bibliothèque nationale du Canada

LE MARKETING GOUVERNEMENTAL AU QUÉBEC : 1929-1985

123456789 G.M.E. 98

Révision linguistique : Monique Boucher

Distributeur exclusif pour l'Europe et l'Afrique :

Éditions Eska S.A.R.L.

30, rue de Domrémy
75013 Paris, France
☎ 583.62.02

On peut se procurer nos ouvrages chez les diffuseurs suivants :

ALGÉRIE

Entreprise nationale du livre
3, boul. Zirout Youcef
Alger
☎ (213) 63.92.67

ESPAGNE

DIPSA
Francisco Aranda n° 43
Barcelone
☎ (34-3) 300.00.08

PORTUGAL

LIDEL
Av. Praia de Victoria 14A
Lisbonne
☎ (351-19) 57.12.88

ALGÉRIE

Office des publications universitaires
1, Place Centrale
Ben-Aknoun (Alger)
☎ (213) 78.87.18

TUNISIE

Société tunisienne de diffusion
5, av. de Carthage
Tunis
☎ (216-1) 255000

et dans les librairies universitaires des pays suivants :

Algérie
Belgique
Cameroun
Congo
Côte-d'Ivoire
France
Gabon
Liban
Luxembourg
Mali
Maroc
Niger
Rwanda
Sénégal
Suisse
Tchad

À Nathalie

Préface

Encore un livre émoustillant sur les combines plus ou moins licites auxquelles ont recours les gouvernements pour nous vendre leur salade?

Pas du tout! Un livre très sérieux au contraire et absolument instructif pour quiconque veut comprendre la façon dont l'État s'y prend pour parler de lui aux gens et pour amener les gens à lui parler.

Par un rare concours de circonstances, l'auteur a pu consulter les écrits habituellement inaccessibles — arrêtés en conseil, rapports internes, mémos confidentiels, décisions du Conseil du Trésor — qui permettent de documenter avec précision comment sont organisées les instances du rapport médiatisé entre le gouvernement et le peuple. Il a aussi pris la peine d'interroger bon nombre des personnes qui ont été directement impliquées dans le fonctionnement de ces instances: ministres, fonctionnaires, conseillers. Il a enfin scruté attentivement tous les textes officiels pertinents: lois, règlements, rapports annuels, budgets, débats de l'Assemblée nationale.

De la sorte, il est en mesure de nous livrer un portrait détaillé et fiable de la structuration de l'État québécois en matière de communication, ce qui n'a jamais été fait à ma connaissance par aucun autre auteur relativement à quelque gouvernement que ce soit.

Bien plus, sa recherche méticuleuse a été guidée par un regard multiple. Politicologue et historien de formation, il retrace la genèse du phénomène à 1929, où le gouvernement du Québec, nettement précurseur en la matière, avait adopté une loi relative à la radiodiffusion.

Sa connaissance immédiate de l'administration publique — il a œuvré dans divers Cabinets ministériels aux niveaux québécois et canadien — combinée à sa spécialisation en communication politique — champ privilégié de ses études graduées — lui permettent de produire une analyse théoriquement rigoureuse qui garde toutefois toujours les deux pieds sur terre.

La compréhension du marketing gouvernemental, de ses concepts fondamentaux, du développement historique de sa pratique, de ses nécessaires contraintes politiques et administratives, s'en trouve dès lors considérablement avancée.

Édouard Cloutier, professeur titulaire,
Département de science politique,
Université de Montréal

Table des matières

Introduction

La victoire du Parti québécois à l'élection provinciale du 15 novembre 1976 est perçue par le gouvernement fédéral comme une menace à l'unité nationale du Canada provoquant ainsi une intensification de la pratique du marketing politique entre les gouvernements provinciaux d'une part, et l'État fédéral, d'autre part. À ce contexte viendront se greffer le référendum du 20 mai 1980, l'échec constitutionnel du 5 novembre 1981 et la crise économique mondiale qui frappe durement le Québec entre 1981 et 1983. C'est dans une telle conjoncture que les budgets destinés à appuyer la pratique du marketing gouvernemental se sont accrus considérablement à Québec, à Toronto, à Victoria et à Ottawa. En 1984, le gouvernement du Canada détenait le premier rang des annonceurs au pays avec 95,8 millions de dollars. Le Québec, lui, occupe le 14e rang en 1985 avec 20,5 millions de dollars[1].

Pourquoi alors avoir choisi d'analyser le cas du Québec si les dépenses de marketing gouvernemental sont plus élevées à Ottawa? En raison de la disponibilité des documents gouvernementaux après la victoire du gouvernement libéral au scrutin du 2 décembre 1985, l'information et la publicité gouvernementales n'étant plus la priorité du nouveau gouvernement.

> *Depuis son élection, le gouvernement Bourassa a, dans un premier temps, ramené de $23 millions à $11,6 millions le budget de publicité,*

1 *Media measurement services,* Elliott Research, Toronto, January to December 1984, January to December 1985.
Ces chiffres ne comprennent que la publicité gouvernementale comptabilisée dans les six médias témoins qu'emploie Elliott pour ses références. La publicité dans les autres médias, les coûts de production et les services de communication gouvernementaux ne sont donc pas inclus.

continuant de consacrer la moitié de cette somme à la promotion touristique, la seule rentable *insiste le ministre*[2].

L'exécutif gouvernemental nous a accordé, par le biais de la loi 65, l'accès à tous les documents concernant la conception, la gestion et la production de l'information et de la publicité gouvernementales sous l'administration précédente.

L'administration publique a aussi coopéré. En effet, les fonctionnaires du Comité ministériel permanent sur les communications ainsi que tous les communicateurs gouvernementaux québécois consultés lors de la cueillette des données liées à cette recherche ont été d'une disponibilité exemplaire.

Enfin, nous avons opté pour l'exemple québécois parce que, sous l'administration péquiste, d'importants appareils destinés à mieux contrôler l'information et la publicité gouvernementales furent mis sur pied. En 1978, la réforme de l'information gouvernementale entraîne la création du poste de sous-ministre adjoint à l'Information gouvernementale, celle du Centre des services en communications et celle du Conseil des directeurs de communications. En 1981, le Comité ministériel permanent sur les communications est formé afin que les volontés de l'exécutif soient plus présentes dans l'information et la publicité gouvernementales.

À Ottawa, hormis la période référendaire où, pour la première fois depuis la guerre, Ottawa avait centralisé et déployé des moyens sans précédent à des fins politico-idéologiques, le marketing gouvernemental n'a été que sporadiquement sous la tutelle de l'exécutif gouvernemental.

Lors du référendum, la responsabilité de l'information gouvernementale et de la publicité avait été confiée au Centre d'information sur l'unité canadienne (CIUC). Pierre Lefebvre avait été nommé, pour la circonstance, responsable de la coordination de toute l'information gouvernementale véhiculée dans la population par le gouvernement. Il était à ce moment sous la responsabilité directe du ministre de la Justice de l'époque, Jean Chrétien, qui avait été désigné par le Premier ministre comme responsable de la campagne référendaire[3].

2 Gilbert Brunet, «Le ministre des Communications à *La Presse*, L'usage idiot des fonds publics, c'est fini», *La Presse*, 6 septembre 1986, p. A-8.

3 Voir à ce sujet Marie-Claude Saint-Laurent, *Les moyens non contraignants de défense d'un État face à une menace sécessioniste: le cas canadien, 1980*, mémoire de maîtrise en Science Politique, Université de Montréal, mai 1986.

Le référendum passé, la situation revint à la normale, chaque ministère étant responsable de sa propre publicité quant à l'orientation de ses programmes, mais dépendant du ministère des Approvisionnements et Services pour les appels d'offres.

Le démantèlement du Centre d'information sur l'unité canadienne (CIUC) à l'automne 1984 et l'impossibilité de consulter ses dossiers ont annihilé nos chances de conduire une étude valable sur le marketing gouvernemental de l'État fédéral.

Le cas de l'État fédéral illustre d'ailleurs bien le principal obstacle auquel est confronté quiconque entend étudier le marketing gouvernemental, surtout en ce qui concerne la composante exécutive: sauf en des circonstances exceptionnelles, la documentation pertinente pour l'analyse du marketing des gouvernements est pratiquement impossible à repérer et à consulter, les exécutifs gouvernementaux ayant tendance à considérer ces matières comme relevant soit de la régie interne, soit du secret d'État.

C'est donc le concours de circonstances exceptionnelles, à savoir le changement de régime survenu en décembre 1985, le peu d'intérêt du nouveau régime pour le marketing gouvernemental et la mise en application intensive de la loi 65 sur l'accès à l'information gouvernementale, qui a permis que la documentation relative au marketing gouvernemental québécois devienne soudainement, et probablement temporairement, accessible. Il fallait saisir pareille occasion.

Profitant de cette circonstancielle disponibilité des documents pertinents pour l'étude du marketing du gouvernement québécois contemporain, il nous est peu à peu apparu que l'interprétation de ce marketing renvoyait constamment à des périodes antérieures si bien que, de fil en aiguille, nous sommes remontés au stade, à notre avis, initial de l'implantation du marketing gouvernemental québécois. C'est pourquoi la période retenue s'étend, en définitive, de 1929 à 1985.

Il importe de souligner ici les avantages et les désavantages de procéder à la vérification d'une problématique relative au marketing gouvernemental à l'aide du cas d'un seul État. Le désavantage majeur consiste, sans nul doute, en ce qu'une telle vérification ne pourra donner lieu à des conclusions généralisables à l'ensemble des pratiques étatiques en matière de marketing gouvernemental. Si plusieurs États avaient été pris en considération, la comparaison entre leurs diverses pratiques aurait permis de départager ce qui est commun à tous de ce qui est particulier à chacun ou à quelques-uns, de sorte qu'auraient été mieux connus les tenants et les aboutissants du marketing des gouvernements. On doit cependant considérer que non seulement les pratiques de marketing gouvernemental sont très souvent impossibles à documenter correctement, mais aussi qu'aucun auteur ne s'est, à notre connaissance, aventuré à théoriser sur le marketing gouvernemental dans son ensemble, y compris le marketing de l'exécutif gouvernemental et les rapports entre ce marketing et celui des services gouvernementaux. Il nous semble donc que, dans l'état actuel des connaissances, l'acte de vérification généralisable à tous les cas et englobant tout le marketing gouvernemental relève de l'utopie davantage que d'une entreprise réaliste de recherche.

Nous tenons par ailleurs à souligner que notre démarche n'est pas dépourvue de tout caractère comparatif puisqu'elle permettra de situer les uns par rapport aux autres les divers types de marketing qu'auront pratiqués au moins sept régimes gouvernementaux différents à l'intérieur d'un même État, soit ceux de Taschereau, de Duplessis (deux fois), de Godbout, de Lesage, de Johnson, de Bourassa et de Lévesque.

En définitive, l'étude des diverses pratiques de marketing d'un seul État, par l'identification précise de ces pratiques et l'analyse politico-administrative de son implantation au cours de six décennies, nous semble devoir faire progresser non seulement la théorie du marketing gouvernemental mais aussi la connaissance de ses pratiques. Cette étude permettra aussi de compléter, en des matières jusqu'ici demeurées obscures, l'histoire du développement politico-administratif de l'État du Québec.

Enfin, un ensemble d'hypothèses est mis à l'épreuve dans cette recherche:

Les gouvernements québécois qui se sont succédé depuis 1929 ont utilisé la pratique du marketing en vue d'influencer et de connaître les attitudes de la population à leur égard, en s'appuyant constamment sur les ressources humaines et financières de l'État afin de promouvoir leurs objectifs politiques.

Le marketing gouvernemental est fortement centralisé en raison des fonctions de coordination et de planification inhérentes à son opérationnalisation et en raison de la volonté de l'exécutif gouvernemental de l'appliquer à l'aide de moyens administratifs contraignants. La tendance centralisatrice inhérente au marketing engendre des conflits entre l'exécutif gouvernemental et la fonction publique, conflits qui s'amplifient au fur et à mesure que se développent la notion d'autonomie administrative et la professionnalisation de la fonction publique. Les conflits sont par la suite propagés par l'opposition parlementaire et la presse. L'exécutif gouvernemental cherchera constamment à intégrer le marketing des services gouvernementaux dans celui de l'exécutif et à conserver une partie du marketing gouvernemental pour son usage propre, hors du giron de l'administration publique.

L'exécutif gouvernemental fait appel à des ressources partisanes dans ses rapports avec l'administration publique en matière de marketing.

Pour ce qui est de la méthodologie, l'analyse de contenu des documents gouvernementaux, non gouvernementaux et de presse a été privilégiée. De plus, l'étude des documents a été enrichie par des entrevues auprès des personnes qui ont pratiqué le marketing gouvernemental au Québec. Une fois les documents réunis et leur interprétation approfondie grâce aux entrevues, nous avons procédé à une analyse systématique de leur contenu à l'aide de la démarche établie dans notre problématique. Cette démarche comporte la pratique marketing selon le vocabulaire, les instruments, les moyens administratifs, y compris les appareils et leurs ressources, l'étendue des objectifs et de la coordination ainsi que les relations politico-administratives entre le parti au pouvoir, l'exécutif gouvernemental et l'administration publique. Les résultats de cette analyse nous ont permis de dégager les constantes du marketing gouvernemental au Québec contenues dans la quatrième partie du volume.

Le marketing gouvernemental: théorie et problématique

1
Définition et concept

Le marketing politique tire son origine d'une part du concept de propagande et, d'autre part, de celui de marketing. De la propagande, le marketing politique retient l'intention d'influencer et de modifier les comportements des récepteurs, en faisant appel si nécessaire à des arguments cognitifs, contenus dans le message, afin de maximiser son impact sur ces récepteurs. Dans un deuxième temps, le marketing politique, à l'instar de la propagande, vise un but politique, et non commercial, dans le déroulement de son processus d'influence sur le comportement des récepteurs.

Il s'inspire par ailleurs du concept même de marketing, qui, selon la définition, est une activité humaine ayant pour but de faciliter et d'effectuer des échanges[4], en s'appuyant sur une approche intégrée (*marketing mix*) pour les stimuler tout en cherchant à satisfaire les désirs du consommateur. Les valeurs «échangées» en marketing politique sont des dirigeants, des idées, des programmes, des services ou des votes, tandis qu'en marketing à but lucratif, ce sont des produits et des services contre de l'argent.

Le marketing politique, à l'instar du marketing commercial, implique à la fois des échanges uniques, ponctuels, tels une

4 Voir Philip Kotler, *Marketing Management,* Paris, Publi-Union, 1973, p. 26-27.

élection ou l'achat d'un billet d'avion, et l'établissement de relations permanentes d'échanges. Durant son mandat, un parti politique au pouvoir véhicule des idées ou des politiques destinées à la population qui les accepte ou les rejette dans un jeu d'adaptation réciproque, constituant ainsi un exemple de relations d'échanges permanentes entre les citoyens et le gouvernement. En d'autres mots, les partis politiques et les gouvernements sont en campagne électorale permanente.

En marketing, l'équivalent peut se retrouver chez le producteur en alimentation où la relation d'échange est aussi, de par sa nature, permanente de même que l'est l'adaptation de ses produits aux désirs de la clientèle.

Le marketing gouvernemental comprend le marketing des services gouvernementaux à but lucratif et non lucratif ainsi que le marketing de l'exécutif gouvernemental. Ce dernier type de marketing partage sa frontière avec le marketing des partis politiques lequel inclut le marketing permanent des partis et leur marketing électoral.

Afin de circonscrire avec précision les divers types de marketing politique, nous en formulerons des définitions opératoires illustrées d'exemples et les répartirons sur un organigramme à la figure 1.

Nous considérons qu'il existe trois types généraux de marketing politique qui se distinguent selon leur provenance: le marketing gouvernemental, le marketing des partis politiques et le marketing des groupes de pression.

A) Le marketing gouvernemental peut, à son tour, se retrouver soit dans les services gouvernementaux à but lucratif, soit dans les services gouvernementaux à but non lucratif, ou dans l'exécutif gouvernemental.

À l'instar du marketing commercial, le marketing des services gouvernementaux à but lucratif a pour objectif général de faciliter les échanges avec la clientèle, tout en générant des revenus pour le gouvernement. Pour ce faire, il doit s'adapter à ses désirs qu'il découvrira par l'intermédiaire d'études de marché.

FIGURE 1

Types de marketing politique

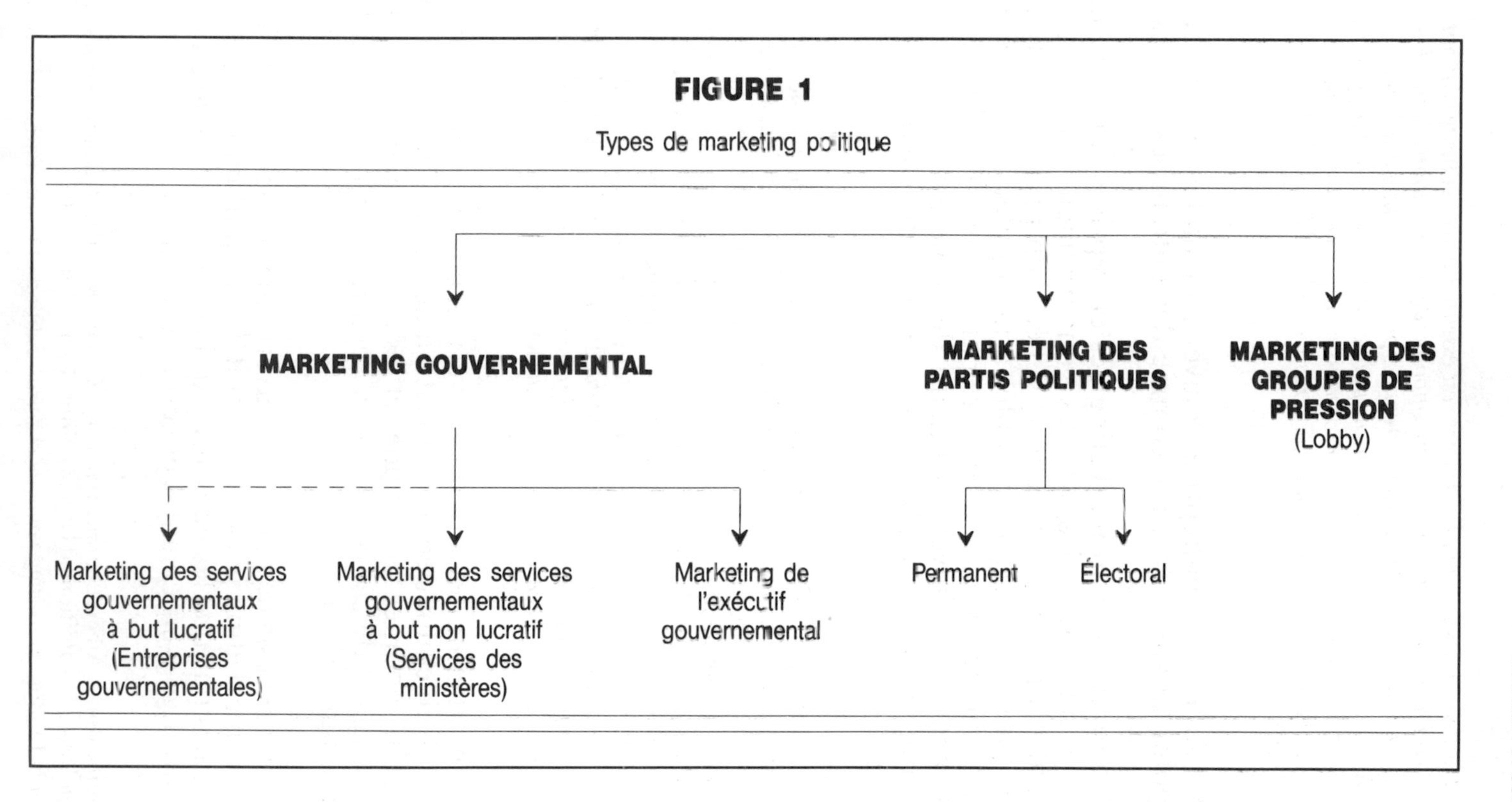

Les organisations dont le caractère est essentiellement commercial ont pu adopter, pratiquement sans lui apporter de modifications, le marketing tel qu'il est utilisé dans les entreprises privées. L'action marketing de Renault, organisation sous contrôle public, ne se différencie pas fondamentalement de celle de Peugeot, organisme privé. De même, le marketing d'Elf ou Total ressemble fortement à celui d'Esso, de Shell ou de BP[5].

En somme, les entreprises gouvernementales se comportent du point de vue marketing comme des entreprises privées.

Contrairement au marketing des entreprises gouvernementales, le marketing des services gouvernementaux à but non lucratif n'a pas pour objectif de générer un profit, mais plutôt, d'une part, de rendre disponibles à la population des services payés à même les taxes et, d'autre part, de modifier divers comportements des citoyens à l'égard de certaines habitudes, les encourageant à en prendre d'autres, plus conformes au bien-être de la société.

C'est ainsi que l'armée doit améliorer son image si elle veut recruter suffisamment de cadres de qualité; que l'administration des eaux et forêts ne peut pas compter uniquement sur la peur des contraventions, mais a aussi besoin de la compréhension et de la bonne volonté des promeneurs, pour éviter les incendies de forêts; que la sécurité sociale doit convaincre ses assujettis de se prêter à des campagnes de vaccination volontaire et à des mesures non autoritaires de prévention; que la police doit améliorer son image si elle veut obtenir la coopération du public; et que le fisc lui-même a jugé utile, en France, de se faire mieux connaître et mieux comprendre, sinon mieux aimer, par les contribuables[6].

Le marketing des services gouvernementaux à but non lucratif se définit comme étant l'utilisation des techniques du marketing pour modifier les attitudes et les comportements du public visé à l'égard de ces services et à l'égard des missions qui leur sont assignées.

Le marketing de l'exécutif gouvernemental se situe à la jonction du marketing gouvernemental et du marketing des partis politiques puisque les personnes qui l'exercent dirigent à la fois l'appareil gouvernemental et celui du parti au pouvoir.

5 Jérôme Bon et Albert Louppe, *Marketing des services publics, l'étude des besoins de la population,* Les Éditions d'Organisations, Paris, 1980, p. 30.

6 Denis Lindon, *Marketing politique et social,* Éditions Dalloz, Paris, 1976, p. 8.

For a president to remain credible, he must be powerful enough to win renomination. He must campaign early and often. And the easiest way to do that is to turn governing into a campaign; there is no line of separation. Under the permanent campaign governing is turned into a perpetual campaign. However, it remakes government into an instrument designed to sustain an elected official's public opportunity [7].

Le marketing de l'exécutif gouvernemental se définit comme l'ensemble des stratégies de marketing qu'adopte l'exécutif pour promouvoir dans la population ses actions gouvernementales afin d'influencer les attitudes et comportements populaires dans la direction qui correspond à ses objectifs, ultimement, celui d'être réélu.

B) Le marketing des partis politiques peut se faire soit de façon permanente, soit de façon occasionnelle lors des campagnes électorales.

Les partis politiques sont en campagne permanente en ce sens qu'ils cherchent continuellement à s'attirer la faveur populaire. Cette pratique se poursuit quand ils accèdent au pouvoir.

The permanent campaign is a process of continuing transformation. It never stops, but continues once its practitioners take power [8].

Le marketing des partis politiques implique une relation soutenue d'échanges avec les différents types de public.

Le marketing permanent des partis politiques qui, comme nous l'avons mentionné précédemment, s'inspire des fondements du marketing commercial, s'appuie sur une approche intégrée pour stimuler les échanges et cherche à modifier les comportements des citoyens dans la direction qui correspond à ses objectifs.

Le marketing électoral est une application du marketing des partis politiques qui n'intervient qu'au moment du déclenchement d'élections partielles ou générales et prend fin avec la fermeture des bureaux de scrutin. Il vise à concevoir et à mettre en oeuvre une campagne électorale: par une approche intégrée

7 Sidney Blumenthal, *The Permanent Campaign,* Beacon Press, Boston, 1980, p. 7-8.

8 *Ibid.,* p. 8.

faisant largement appel à la variable communication, il cherche à transmettre les idées du candidat et à influencer l'électorat, et ce, dans une courte période de temps.

C) **Le marketing des groupes de pression** concerne la promotion, auprès des gouvernements, de causes sociales ou d'intérêts particuliers.

Le lobby, dont la source est hors des gouvernements et hors des partis, consiste en un marketing dirigé vers l'appareil gouvernemental, élus et fonctionnaires compris. Il peut être le fait soit des entreprises privées, soit de tout organisme qui cherche à influencer les gouvernements.

Kotler pense strictement aux premiers lorsqu'il définit le lobby:

> *Lobbying is one aspect of government marketing. The lobbyist attempts to evoke support from a legislator through offering values to the legislator (e.g., information, votes, friendship, and favors). A lobbyist thinks through the problem of marketing his legislation as carefully as the business marketer thinks through the problem of marketing his product or service* [9].

On doit cependant inclure dans le lobby tous les groupes d'intérêt qui, selon Meynaud, «se transforment en organismes de pression [...] à partir du moment où les responsables utilisent l'action sur l'appareil gouvernemental pour faire triompher leurs aspirations ou revendications»[10].

Le lobby consiste donc en une application des techniques de marketing destinée à faciliter l'échange d'une valeur en agissant sur le comportement du législateur ou du décideur afin que ce dernier se conforme à l'objectif visé par la source. Il s'apparente au marketing des causes sociales dont l'objectif est souvent d'influencer le comportement du législateur.

Dans la mesure toutefois où nous sommes ici intéressés strictement au marketing qui émane du gouvernement et non à celui qui lui est destiné, nous ne tiendrons dorénavant pas compte du lobby.

9 Philip Kotler, "A generic concept of marketing", *Journal of Marketing*, vol. 36, avril 1972, p. 53.

10 Jean Meynaud, *Les groupes de pression*, Paris, P.U.F., 1962, p. 10.

Échange et partage en communication et en marketing

L'échange se définit comme étant le transfert, entre deux personnes ou plus, de propriétés exclusives ayant une valeur. Dans le domaine commercial, les propriétés qui font l'objet de l'échange sont traditionnellement le prix à payer et le produit.

Pour sa part, le partage signifie la participation au droit de propriété par deux ou plusieurs personnes.

La constitution du partage peut impliquer un échange quand la personne qui offre de céder son droit de propriété exclusive exige quelque chose en retour. Il peut donc y avoir partage avec ou sans échange.

La communication, quant à elle, comporte les éléments fondamentaux suivants: au moins deux personnes qui prennent part à une connaissance.

C'est ainsi que la communication se définit comme la transmission, à l'aide d'un code commun, de symboles dont le signifiant est partagé entre la source et le destinataire. On parle donc également de partage en communication, mais on aura compris que le mot partage a ici une signification plus large que celle que nous lui avons donnée plus haut. Il ne s'agit plus de participer à une propriété au sens strict du terme, mais plutôt, comme le dit le dictionnaire *Robert*, de «prendre part à», «d'avoir part en même temps», comme on le fait quand on partage sa joie, ses sentiments ou son bonheur.

Cependant, le partage d'un symbole n'implique pas nécessairement l'adhésion du destinataire au symbole, cette adhésion dépendant du succès de la source dans sa tentative d'influencer ou de persuader le destinataire, c'est-à-dire de faire partager non seulement le signifiant, mais aussi le signifié du symbole.

Il ne saurait y avoir ni échange ni partage d'une propriété sans communication, car l'intention de l'offrant doit être à la fois transmise au destinataire et acceptée par lui, ce qui implique l'établissement d'une communication bidirectionnelle entre l'offrant et le destinataire. La réalisation de l'échange ou du partage nécessite en effet que soient partagés et le signifiant et le signifié relatifs à la propriété qui fait l'objet de la proposition d'échange ou de partage.

Le partage du signifié nécessite que le destinataire communique à la source son adhésion au message, d'où l'établissement d'une boucle de rétroaction:

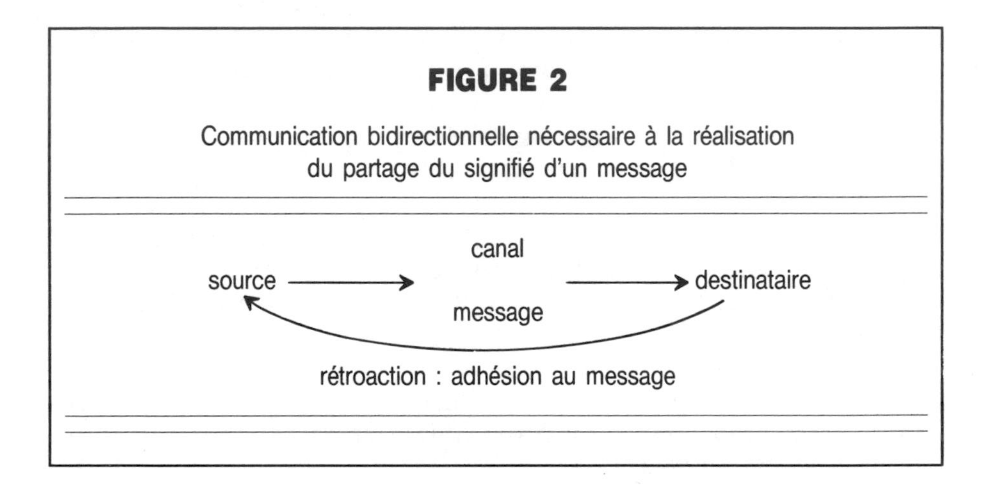

FIGURE 2

Communication bidirectionnelle nécessaire à la réalisation du partage du signifié d'un message

Quand la source recherche l'adhésion d'un grand nombre de destinataires, la communication en est une de masse qui doit être organisée afin d'atteindre l'auditoire vaste et hétérogène des destinataires. Il en est ainsi pour l'échange lorsque l'économie capitaliste atteint le stade de la production de masse et que l'offre devient supérieure à la demande en raison de la concurrence, les producteurs étant contraints de stimuler la demande pour leurs produits. Dans un tel contexte, l'organisation du processus d'échange prendra place, provoquant ainsi la naissance du marketing commercial qui vise à faciliter les échanges.

Le succès du partage ou de l'échange dépend de l'efficacité de l'acte de persuasion, lequel doit être organisé en vue d'aboutir à l'adhésion aux idées offertes en partage ou aux produits offerts en échange. Le concept d'organisation de l'échange et du partage conduit inévitablement à celui de marketing en tant qu'activité de gestion vouée à l'analyse, à la planification, à la mise en œuvre et au contrôle de programmes conçus pour mener à bien l'adhésion aux idées offertes en partage ou aux produits offerts en échange.

Dans la mesure où le marketing constitue l'ensemble des activités humaines visant à faciliter la réalisation entre des êtres humains d'échanges ou de partages relatifs à ces choses et ayant une valeur pour eux, il doit être considéré avant tout comme une activité sociale, puisque tant les participants que les valeurs impliquées dans l'échange ou le partage ne peuvent être que sociaux.

Les ouvrages sur le sujet ont toutefois consacré l'usage d'une distinction théorique entre le marketing commercial et le marketing dit «social», notamment en ce qui concerne la notion de produit.

En marketing social, une cause, dont le caractère peut être charitable, environnemental, médical, religieux, sanitaire ou autre, est offerte en partage. Elle se distingue du produit commercial par sa nature essentiellement symbolique et par l'absence de réciprocité que l'on retrouve dans l'échange d'un produit commercial en retour d'un prix monétaire.

L'étude de marché est aussi employée par l'organisation de la cause sociale afin de mesurer l'évolution des tendances sociales de certains segments de la population à l'égard de la cause. Il en est de même pour l'approche intégrée et les variables opératoires qui la constituent. Cependant, des différences apparaissent dans la formulation et la signification de certaines variables entre les applications sociale et commerciale du marketing.

Les variables opératoires de l'approche intégrée en marketing commercial s'articulent à l'intérieur d'une coordination équilibrée où la qualité du produit doit être mise en rapport avec le prix; les circuits de distribution doivent être choisis en fonction du prix et de la qualité du produit, la promotion doit être proportionnelle à la taille des circuits de distribution, au prix et à la qualité du produit[11].

Le vecteur (A,B,C,D), où A = produit, B = prix, C = distribution, D = promotion, fait que l'importance accordée à chacune des variables dans l'approche intégrée varie selon la connaissance qu'a l'offrant du répondant.

Un tel énoncé suppose le choix d'une seule combinaison des variables de l'approche intégrée parmi plusieurs autres lorsque vient le temps d'effectuer l'échange. Puisqu'il est impossible de

11 Voir Philip Kotler, *op. cit.*, p. 38.

modifier à court terme les propriétés d'un produit ainsi que ses circuits de distribution, seuls le prix et la promotion sont des variables que l'offrant peut contrôler[12].

Il convient maintenant d'établir, pour ce qui est du marketing social, la formulation et la signification des variables opératoires dans l'approche intégrée.

Nous avons déjà dit que le produit en marketing social est la cause, quoique son sens analogique dans d'autres applications de marketing non commercial, comme nous verrons plus loin, fasse qu'il peut être constitué d'un ensemble de composantes d'un tout en interaction; le prix à payer par le répondant comprend le temps, les efforts ainsi que les coûts réels et/ou psychologiques liés aux changements dans le mode de vie requis par l'adoption de la cause sociale.

La somme des prix (efforts) que les divers répondants acceptent de payer doit être égale au prix (effort) total requis pour atteindre l'objectif de la cause sociale. Cet énoncé déterminera un objectif qualitatif optimal que l'ensemble de la collectivité attribuera à la cause sociale en question. Les prix sociaux sont différents d'un répondant à l'autre puisque ces derniers n'ont pas les mêmes préférences, mais l'objectif qualitatif sera le même pour chacun des répondants puisque les causes sociales ont la caractéristique d'être indivisibles.

Lorsque l'ensemble des répondants détermineront l'objectif voulu, certains d'entre eux seront prêts à faire une contribution quelconque en temps et en effort. D'autres, cependant, s'abstiendront de contribuer à l'objectif qualitatif de la cause sociale parce qu'ils ne sont pas disposés à en payer le prix en temps et en effort[13].

À l'opposé du marketing commercial où l'offrant jouit d'un contrôle sur le prix du produit, les responsables de la cause sociale ont un contrôle limité sur ce dernier qui est régi par les répondants, ceux qui adhèrent à cette cause. Cependant, l'étude sur les tendances des divers segments de la population (étude de marché) à l'égard de la cause sociale et l'exercice de positionne-

12 *Ibid.*, p. 64.

13 Voir Seymour H. Fine, *The marketing of ideas and social issues,* Praeger series, New York, 1981, p. 82-85.

ment stratégique qui en découle permettront aux responsables de la cause de mieux connaître la population et d'agir sur elle avec une combinaison de variables qui fera largement appel aux moyens de persuasion, afin de réduire le prix psychologique requis pour l'adhésion des individus à la cause sociale.

La distribution en marketing commercial se traduit par deux types de distribution physique. Le premier, qualifié de large par Kotler[14], définit la distribution d'un bien dans une perspective globale où l'entreprise désireuse de s'implanter sur le marché doit mesurer l'ampleur du phénomène de la distribution physique de l'origine, c'est-à-dire de la production d'un bien, jusqu'à sa demande effective par le consommateur dans les circuits de distribution que l'entreprise aura choisis. L'autre suppose que l'entreprise déjà implantée est restreinte dans le choix des composantes de son système de distribution puisque ces dernières sont des «données» et non pas des «variables».

Si l'on exclut la mesure de la demande effective pour la distribution physique du bien, contenue dans le modèle large, ces deux types de conception de la distribution demeurent inchangés dans la cause sociale puisqu'ils mettent à la disposition du public visé des moyens matériels facilitant les comportements qu'on attend de lui et que, pour y arriver, ils doivent mesurer et prévoir leur ampleur en phase initiale de lancement, sinon tenir compte des données lorsqu'ils sont en développement.

Cependant, puisqu'à la place d'un bien physique, la cause sociale distribue des idées, les circuits de distribution deviennent donc des canaux de communication représentés par la presse écrite et électronique, et la communication interpersonnelle est effectuée par des groupes de pression et non par des grossistes et des détaillants comme c'est le cas en marketing commercial.

La variable «promotion du marketing social» fait appel à la communication persuasive afin de modifier le comportement du répondant dans la direction qui correspond au soutien de la cause sociale. Dans une application de marketing commercial, une plus grande importance sera attribuée à l'étude de marché afin d'adapter le produit aux besoins du consommateur plutôt qu'à persuader ce dernier que le produit est conforme à ses besoins. Ce phénomène n'exclut pas par ailleurs l'emploi de la persuasion dans une approche de marketing commercial.

14 Philip Kotler, *op. cit.*, p. 684-685.

Dans le sillon des causes sociales, se profile, ainsi que nous l'avons déjà vu, le marketing politique qui comprend les applications électorales et permanentes des partis politiques et les applications gouvernementales.

À l'instar du marketing commercial, la relation d'échange prime dans le marketing électoral puisque le parti politique échange un programme et des promesses contre le vote de l'électorat.

L'étude de marché ainsi que l'approche intégrée et les variables qui composent le marketing électoral comportent des différences qui le démarquent des applications précédentes.

Bien que le recours à l'étude de marché soit à la base de toutes les applications de marketing, elle revêt un caractère déterminant dans le processus de marketing électoral en raison de la nature ponctuelle de l'intervention et du court laps de temps disponible pour le choix de la stratégie de communication du parti ou du candidat.

En ce qui a trait à l'approche intégrée en marketing électoral, le produit est constitué d'un tout en interaction constante qui comprend le parti politique, son programme, ses candidats et leurs promesses.

Le prix à payer pour l'électorat est son vote au parti en retour duquel ce dernier s'engage à appliquer son programme et à réaliser ses promesses.

La promotion (les communications) constitue la principale variable opératoire pour un parti politique, quoiqu'elle soit assujettie à des contraintes légales qui circonscrivent la distribution des supports (affiches, brochures, dépliants) et la disponibilité de temps d'antenne. La stratégie de communication qui en découle est déterminante pour le parti et les candidats en raison de la courte période de temps qu'ils ont à leur disposition pour influencer l'électorat et obtenir son appui.

Par ailleurs, le marketing permanent des partis donne lieu à deux types d'application, l'une associée à la pratique du pouvoir, l'autre associée à la pratique de l'opposition au pouvoir. À noter que les deux types d'application sont définis par rapport à la fonction gouvernementale qui échoit aux partis après les élections. Le parti gagnant (ou les partis gagnants, selon les systèmes politiques) devra à la fois assumer le marketing du gouvernement qu'il est appelé à diriger et son marketing propre. Au parti perdant reviendra la tâche de diriger le marketing de l'opposition gouvernementale de même que son marketing propre.

Dans le cas de ces quatre types de marketing, la relation d'échange fait place à une relation de partage où le processus d'adhésion (rejet) de l'électorat se manifeste à travers les sondages, notamment ceux portant sur l'intention de vote.

Une fois les élections passées, sont attribuées aux partis des fonctions gouvernementales auxquelles correspondent, pour les partis gagnants, le marketing de l'exécutif et celui des services gouvernementaux et, pour les partis perdants, le marketing de l'opposition.

Nous avons déjà défini le marketing de l'exécutif gouvernemental. Le marketing permanent des partis au pouvoir consiste en une approche intégrée à l'intérieur de laquelle les variables du marketing de l'exécutif gouvernemental se définissent comme suit: le produit se traduit dans les réalisations du gouvernement; le prix équivaut à l'acceptation par l'électorat des réalisations du gouvernement; la distribution correspond à la disponibilité de moyens matériels et d'une présence physique pour l'électorat (colloques, tournées d'information ministérielles, etc.); la promotion consiste pour le gouvernement à transmettre, par le truchement des canaux appropriés, des messages dans le but d'obtenir l'adhésion de l'électorat au programme du gouvernement.

Sans perdre de vue le contenu de son programme, le parti vise ainsi, à l'aide des études de comportement et des sondages, à établir un discours politique qui épousera les attitudes conjoncturelles de l'électorat.

De plus, le pouvoir de l'exécutif sur l'administration publique dans l'exercice de gouverne de l'État fait que l'exécutif gouvernemental est responsable du marketing des services gouvernementaux, qu'ils soient à but lucratif ou non lucratif, favorisant ainsi l'emploi par l'exécutif de ces deux applications lorsque des contraintes politiques s'imposent.

Le marketing des services gouvernementaux à but lucratif est en tous points semblable au marketing commercial puisqu'il vise l'échange de biens et de services en retour d'un prix monétaire.

Cependant, le marketing des services gouvernementaux à but non lucratif diffère de l'application précédente car l'échange de propriétés se fait par la voie d'un partage collectif et diffus où l'équilibre entre ce qui est perçu via les taxes et ce qui est distribué via les services rendus ne s'établit ni de façon précise ni de façon simultanée.

L'étude de marché est toujours présente dans une application de marketing des services gouvernementaux à but non lucratif.

En ce qui a trait à l'approche intégrée, le produit est composé des services gouvernementaux disponibles (aide juridique, CLSC, centres hospitaliers, divers services du ministère des Affaires sociales, CSST, Éditeur officiel, etc.); le prix se retrouve dans les taxes défrayées par les contribuables pour ces services; la distribution comprend l'emplacement des services, l'affichage, les kiosques d'information, les tournées d'information, etc. destinés à procurer l'information aux usagers actuels et potentiels des services; la promotion vise à déterminer une stratégie d'accessibilité aux services et de formulation de messages appropriés et diffusés par des canaux qui atteindront les destinataires, en l'occurrence les usagers actuels et potentiels de services.

Le marketing d'opposition se distingue de celui associé à l'exercice du pouvoir sur le plan de la signification de certaines variables contenues dans son approche intégrée.

À l'instar du marketing électoral, le produit est composé du parti, de son programme, de ses candidats et de leurs promesses en raison du statut électoral permanent conféré au parti d'opposition; le prix est lié à l'acceptation par l'électorat du tout que constitue le produit; la distribution comprend la mise à la disposition de l'électorat de moyens matériels et physiques (quoique ces derniers soient généralement limités pour un parti d'opposition); enfin, la promotion consiste à persuader l'électorat avec des messages transmis par les canaux appropriés.

2

Problématique politico-administrative du marketing gouvernemental

La problématique politico-administrative du marketing gouvernemental s'articule à l'intérieur d'une communication systémique tributaire d'une rétroaction avec la population où la dépendance des gouvernements à l'égard des appareils de communication est constante favorisant ainsi le développement et le contrôle de ces derniers par l'exécutif gouvernemental.

Le marketing politique permet la formulation de certains énoncés théoriques fondés sur l'interprétation des données et sur l'utilisation de variables visant à améliorer la performance du processus de communication avec rétroaction entre le gouvernement, d'une part, et la population, d'autre part.

Les données, recueillies dans l'étude de marché, reflètent les désirs de la population. Leur interprétation favorise une meilleure connaissance, dans la perspective holistique eastonienne, des désirs qui entrent dans la composition des exigences de la population, lesquelles constituent des intrants du système politique[15] qui sont traités par ses sous-sytèmes en interaction, entre autres l'administration publique et l'exécutif gouvernemental.

15 David Easton, *Analyse du système politique*, Armand Colin, Paris, 1974, p. 23. Un système politique peut être défini selon Easton comme l'ensemble des interactions par lesquelles les objets de valeur sont répartis par voie d'autorité dans une société.

La rétroaction

La notion de rétroaction (*feedback*), telle qu'elle est formulée par Norbert Wiener dans son volume sur la cybernétique en 1948, sera reconnue dans les milieux behavioristes de la science politique comme un concept applicable à l'analyse systémique de la vie politique, puisqu'elle constitue une information sur la réaction du destinataire à l'action de la source et sa réinsertion à des fins de correction dans l'action qui se déroule. Cet énoncé sera au cœur des préoccupations de David Easton qui reproduira un modèle du système politique comprenant entre autres composantes la notion de rétroaction dont voici un schéma simplifié:

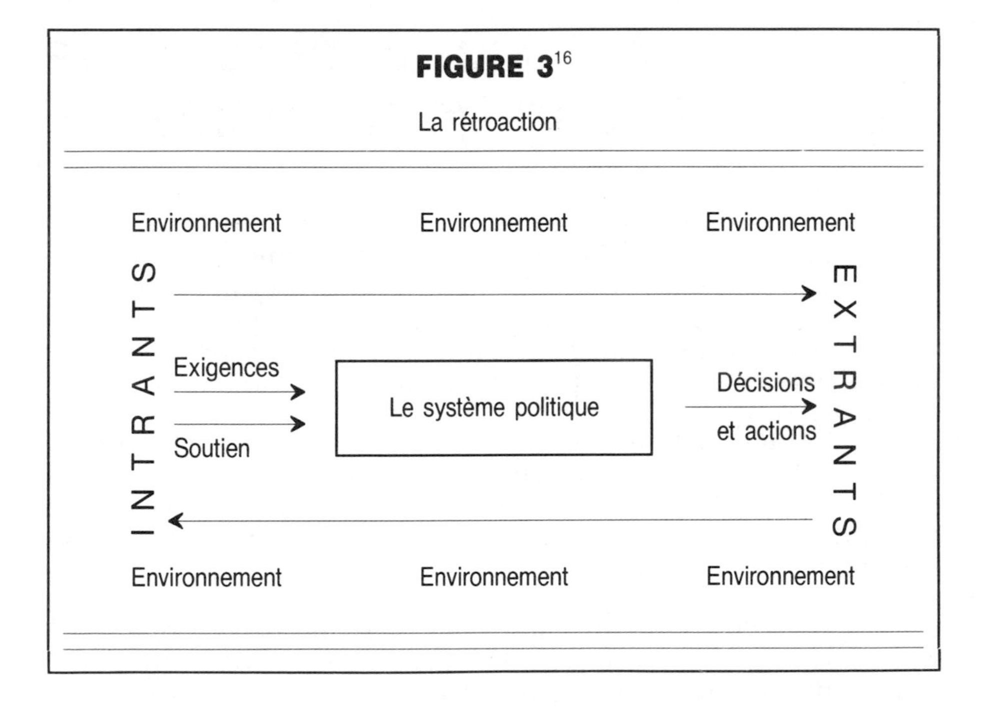

De plus, ce dernier constate qu'un système politique ne peut survivre dans un environnement empreint de fluctuations sans rétroaction adéquate et sans les moyens pour y répondre.

Il perçoit les extrants (actions, décisions) du système politique comme le produit d'une relation d'échange avec ses intrants

16 Voir note 19.

issus des désirs de l'environnement «intra-sociétal»[17] auxquels répondent les décisions du système politique.

Easton, à l'instar de Kotler en marketing, échange dans l'allocation des ressources externes des extrants tangibles et intangibles[18] (subventions, services gouvernementaux, etc.) contre le soutien de la population à ses décisions, condition essentielle à la survie du système politique. Easton échange également des extrants verbaux (symboliques), sous forme de déclarations, contre ce même soutien.

Dans un premier temps, l'approche marketing préteste d'une part les exigences et les soutiens de l'intrant à partir des désirs de la population, qui comprennent, selon Easton, ses attentes, ses motivations, ses idéologies, ses intérêts, ses préférences, et d'autre part l'état de l'opinion publique, pour ensuite déterminer à l'aide des variables opératoires de l'approche intégrée la configuration de l'extrant et l'adapter durant son cycle de vie aux désirs changeants de la population.

Certaines phases dans la boucle de rétroaction systémique confirment le besoin qu'éprouvent les autorités de faire appel à l'approche marketing afin de quantifier, par la voie des sondages, le soutien de la population à l'égard de ses extrants et, si nécessaire, de réagir pour satisfaire la population, productrice d'intrants de soutien et d'exigences.

Les variables opératoires de l'approche intégrée favorisent une capacité de gestion accrue des moyens de persuasion liés à la promotion des extrants, dans la mesure où l'emploi du vecteur issu des variables permet aux autorités de choisir la combinaison de ces variables qui lui semble la plus adéquate dans le choix de ses extrants eu égard à leur acceptation éventuelle par la population.

17 *Ibid.*, p. 23-24.
La partie intra-sociétale de l'environnement comprend, selon Easton, les systèmes appartenant à la même société que le système, par opposition à extra-sociétale qui comprend tous les systèmes situés à l'extérieur de la société considérée.

18 *Ibid.*, p. 365.
Easton qualifie d'extrants intangibles les services gouvernementaux dont la qualité et la quantité sont difficilement identifiables.

FIGURE 4[19]

Les quatre phases de la boucle de rétroaction systémique

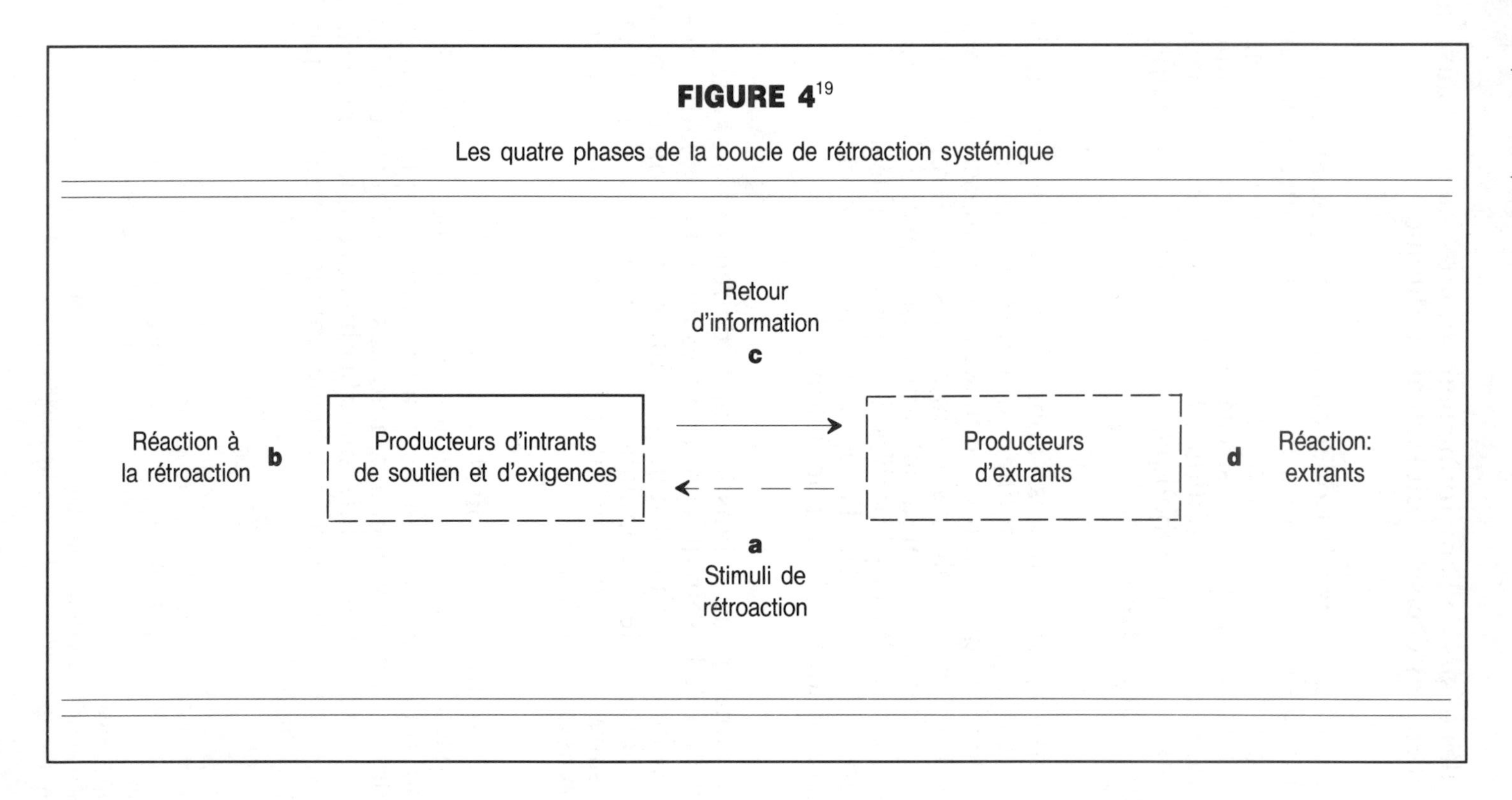

19 Les figures 3 et 4 sont adaptées des diagrammes de David Easton, *Ibid.*, p. 33 et 358.

De la propagande au marketing dans les appareils gouvernementaux de communication

La propagande apparaît pour la première fois à la fin de la Première Guerre mondiale comme une arme politique visant d'une part à stimuler les sentiments patriotiques et d'autre part à diminuer les pertes de vies humaines en persuadant l'ennemi de cesser le combat. La Grande-Bretagne, les États-Unis et la France y feront largement appel.

Bien que l'existence de la propagande remonte à l'Antiquité, son utilisation durant le premier conflit suscite de l'intérêt chez les masses qui y ont été exposées. Lasswell attribue ce phénomène au comportement crédule et utopique de ces dernières fondé sur une sensation de bien-être artificielle entretenue par les Services de propagande durant la guerre[20].

Dès 1917, la fonction de propagande acquiert un statut administratif permanent dans la révolution bolchévique par l'institutionnalisation de l'agitation et de l'éducation politiques. Il en sera de même en Allemagne, à compter de 1933, quand les nazis créeront le ministère de la Propagande dirigé par Goebbels.

Durant la Seconde Guerre mondiale, le *Wartime Information Board* au Canada, le *British Ministry of Information* ainsi que le *United States Information Agency* constitueront autant d'appareils gouvernementaux de propagande.

Ellul qualifie cette propagande de politique puisqu'elle comporte l'emploi par le gouvernement, un parti politique ou l'administration publique, de moyens de persuasion afin de modifier le comportement de la population[21].

Cependant, il suggère aussi la présence d'une propagande sociologique qu'il définit comme étant la pénétration d'une idéologie par la voie de son contexte sociologique. Cette propagande sociologique est spontanée et n'est pas, dans sa phase initiale de développement, le fruit d'une propagande délibérée. Aux États-Unis, elle a constitué un outil remarquable de légitimation et d'intégration à l'*American way of life.*

20 Terence H. Qualter, *Opinion control in the democracies*, MacMillan, 1985, p. 111-112.

21 Jacques Ellul, *Propaganda. The formation of men's attitudes*, New York, Knopf, 1969, p. 62.

> *A way of rapid assimilation had to be found; that was the great political problem of the United States at the end of the nineteenth century. The solution was psychological standardization, that is, simply to use a way of life as the basis of unification and as an instrument of propaganda*[22].

Lorsqu'elle est établie, la propagande sociologique devient délibérée et permanente, selon Ellul.

De plus, elle ouvre la voie à l'emploi de la propagande politique en temps de crise, comme ce sera le cas aux États-Unis durant la chasse aux communistes du début des années cinquante. C'est dans un tel contexte que, dans nos démocraties libérales, la propagande sociologique se transforme en un puissant véhicule de symboles idéologiques ou nationaux voués au maintien et à la promotion du système politique en place.

Parallèlement à cette propagande sociologique, Altheide et Johnson constatent qu'une propagande bureaucratique destinée à soutenir le système bureaucratique s'est développée. Les organisations bureaucratiques se sont dotées d'outils de contrôle de leur information afin de légitimer leur existence et de préserver leur image publique[23].

Easton soutient que les communications gouvernementales se sont développées en réponse aux tensions qu'exerçait sur l'appareil gouvernemental la montée des exigences de la population; il omet de mentionner, cependant, que ce phénomène est attribuable par le fait même à l'interventionnisme croissant de l'État dans l'économie, après la Seconde Guerre mondiale.

Le contenu des messages de propagande et de publicité gouvernementales, conçus sans rétroaction, n'atteignait plus une population dont la diversification et le poids des demandes provoquaient des tensions dans le système politique, contraignant ainsi l'État à réviser ses canaux de communication.

Ainsi, l'exécutif gouvernemental et l'administration publique en sont-ils venus à faire appel à la démarche marketing pour connaître les désirs de la population et ainsi améliorer leur performance et gérer avec plus d'efficacité les moyens de persuasion devant agir sur elle.

22 *Ibid.*, p. 68.

23 D.L. Altheide, J.M. Johnson, *Bureaucratic propaganda*, Boston, Allyn and Bacon, 1980, p. 18.

À ce phénomène se sont juxtaposées, chez les hauts fonctionnaires, des tendances technocratiques qui valorisaient un contrôle accru de l'organisation et l'emploi de techniques de gestion modernes, parmi lesquelles le marketing, composante formelle de l'exercice de gestion, qui vise à analyser, planifier, mettre en œuvre et contrôler les programmes conçus pour réaliser l'échange ou le partage d'un bien ou d'une idée.

La relation entre le politique et l'administratif en matière de marketing gouvernemental

L'exécution des tâches administratives et politiques dans nos régimes démocratiques est accomplie par deux types de personnes incarnés par deux types d'organisations : d'abord par les fonctionnaires incorporés dans des structures bureaucratiques, et ensuite par les acteurs politiques à l'intérieur d'un système électif. Un des problèmes centraux de la théorie générale de l'institution administrative soulevé par Chevallier et Loschak consiste à tracer la ligne de démarcation entre le pouvoir politique et le pouvoir administratif dans les zones frontières où se réalise leur articulation et où la volonté politique est convertie en action administrative[24].

Nous décelons deux tendances dans les relations entre le parti au pouvoir et l'administration publique dans nos démocraties libérales; l'une qui admet un certain degré de politisation, et l'autre qui aspire à une dépolitisation totale de l'administration[25]. Peu importe que l'on soit pour ou contre la politisation, nous devons admettre son existence à des degrés divers.

La forme de politisation qui nous intéresse ici est celle qui fait appel à la solidarité politique[26] en tant qu'outil de gestion destiné à rapprocher l'administration de l'exécutif gouverne-

24 Jacques Chevallier, Danièle Loschak, *Science administrative, Théorie générale de l'institution administrative*, Paris, Librairie générale de droit et de jurisprudence, 1978, p. 192-193.

25 Bernard Gournay, *Introduction à la science administrative*, Armand Colin, Paris, 1966, p. 235.

26 Solidarité politique signifie ici une communauté d'esprit et de vues accompagnée d'affinités entre le fonctionnaire d'une part et le politicien d'autre part dans l'exercice du pouvoir et l'application des politiques gouvernementales. Voir Michael M. Atkinson, William D. Coleman, "Bureaucrats and politicians in Canada: An examination of the political administration model", *Comparative Political Studies*, vol. 18, n° 1, Sage publications, 1er avril 1985, p. 58-80.

mental. Elle apparaît dans toutes les phases du processus décisionnel et de la mise en œuvre des politiques gouvernementales. Son but ultime est la transmission de la volonté de l'exécutif gouvernemental à la machine administrative lors de la prise de décisions.

Nous croyons que cette forme de politisation s'exprime dans les grandes administrations par l'intervention du personnel politique et particulièrement par l'intégration de gestionnaires partisans dans l'administration publique, solution privilégiée lorsque la présence du gouvernement au pouvoir excède un mandat[27].

Pour Robert Normand, haut fonctionnaire québécois de carrière et théoricien à ses heures, le sous-ministre d'aujourd'hui vit à la frontière du monde politique et du monde administratif. Normand affirme que le rôle des fonctionnaires, si hauts soient-ils dans la hiérarchie, devra toujours être, d'abord et avant tout, de servir adéquatement les hommes politiques, sans pour autant faire œuvre de partisanerie.

> *Lorsque les fonctionnaires se détacheront de cette notion, ils assureront leur perte collective à court ou à long terme et ce sera l'État et la société qui écoperont*[28].

Au chapitre du marketing gouvernemental, le problème de la politisation apparaît lorsque l'exécutif gouvernemental, qui est par définition partisan, se dote d'appareils de gestion de communication afin de promouvoir ses idées et ses réalisations par l'utilisation, entre autres moyens, du marketing des services gouvernementaux à but lucratif et non lucratif.

D'autre part, la responsabilité administrative des fonctionnaires à l'égard du marketing des services gouvernementaux les amène à utiliser ce marketing afin de promouvoir l'efficacité de leurs services respectifs auprès de l'exécutif gouvernemental et de la population, ainsi que l'ont souligné Altheide et Johnson.

27 Voir Stéphane Dion, «La politisation des administrations publiques: éléments d'analyse stratégique», *Administration publique du Canada*, volume 29, n° 1, printemps 1986, p. 110-113.

28 Robert Normand, «Les relations entre les hauts fonctionnaires et le ministre», *Administration publique du Canada*, volume 27, n° 4, hiver 1984, p. 528 et 541.

Enfin, l'appareil politico-administratif acquiert une grande homogénéité: la haute direction subit une politisation accentuée dans la catégorie des sous-chefs et des responsables d'agences gouvernementales puisque, outre sa proximité avec les élus dans la conception et l'application des politiques gouvernementales, son recrutement est régi, dans notre système parlementaire, par un décret du Premier ministre.

Le rapport entre centralisation et politisation en marketing gouvernemental

L'observation des réalités contemporaines montre selon Meny que les phénomènes de centralisation et de décentralisation ne peuvent être dissociés ni du contexte historique dans lequel se situe l'organisation du pouvoir ni des conditions pratiques liées à leur application. Ainsi est-on conduit selon lui à une attitude pragmatique débouchant moins sur une définition de la centralisation ou de la décentralisation que sur une appréciation des degrés relatifs de centralisation et de décentralisation[29].

Centralisation et décentralisation constituent des questions de mesure dans l'exercice d'une fonction de contrôle, puisqu'elles impliquent dans leur conceptualisation l'évolution du degré de contrôle exercé par l'exécutif gouvernemental et l'État sur une fonction.

Vincent Lemieux suggère un ordre de contrôle qui va du moins au plus déterminant. Selon lui, le centre délaissera facilement au profit de la périphérie les contrôles sur l'information relative aux objectifs d'un ministère et moins facilement ceux sur les ressources financières et sur l'établissement ou non d'une fonction périphérique. Enfin, le contrôle s'exerce sur les finalités mêmes des fonctions[30].

Bien que la centralisation consiste à concentrer la gestion de l'administration publique entre les mains du pouvoir central, ce phénomène n'implique pas nécessairement sa politisation. Cependant, dans nos démocraties libérales, l'exécutif gouverne-

29 Yves Meny, *Centralisation et décentralisation dans le débat politique français*, Bibliothèque constitutionnelle et de science politique, Paris, 1974, p. 37.

30 Vincent Lemieux, Jean Turgeon, «La décentralisation: une analyse structurale», *Revue canadienne de science politique*, XII, 4 décembre 1980, p. 691-710.

mental utilise parfois des moyens de contrôle sur des outils de gestion de l'État, contribuant ainsi à leur centralisation et à une politisation dans leurs finalités mêmes. Pour qu'un parti programmatique[31] au pouvoir puisse agir sur l'orientation des politiques et la conduite de l'État, il doit exercer selon Richard Rose un contrôle sur les fonctionnaires.

Les élus et les fonctionnaires partisans doivent occuper des postes stratégiques dans l'organisation gouvernementale pour pouvoir avoir les ressources et l'autorité nécessaires pour commander aux appareils bureaucratiques[32]. Cet énoncé suppose que le rapport centralisation-politisation dans ces appareils sera d'autant plus grand que les acteurs qui les composent disposeront des contrôles fonctionnels les plus déterminants pour l'information gouvernementale.

Vincent Lemieux dans son interprétation du point de vue de Rose suggère que le caractère programmatique de certains partis dans un système compétitif ne peut être instauré de façon durable, ce qui les contraint à adopter une démarche opportuniste lorsque leur présence au pouvoir s'étire sur plusieurs mandats.

D'ailleurs, les partis opportunistes seront plus enclins à corriger leur action gouvernementale par voie de rétroaction, ce qui les incite ainsi à appliquer des politiques de déconcentration ou s'il y a lieu de décentralisation afin d'être à l'écoute des désirs de la population.

Enfin, Lemieux croit qu'un parti opportuniste, une fois au pouvoir, sera plus sujet à subir le contrôle des fonctionnaires[33].

En matière de marketing gouvernemental, ce contrôle des fonctionnaires n'interdit pas aux partis opportunistes de se doter d'appareils financés à même les budgets de l'exécutif afin de centraliser le marketing de l'exécutif gouvernemental sans nécessairement politiser l'administration publique.

31 Parti politique qui, une fois au pouvoir, accorde la priorité à la réalisation de son programme.

32 Richard Rose, "The variability of party government: A theoretical and empirical critique", *Political studies*, vol. XVII, n° 4, 1969, p. 416-417.

33 Voir Vincent Lemieux, «Le point de vue de Richard Rose», *Systèmes partisans et partis politiques*, Presses de l'Université du Québec, Québec, 1985, p. 133-138.

Les pratiques propres au marketing gouvernemental

La théorie du marketing gouvernemental est peu avancée. Ce phénomène est attribuable selon Mokwa à l'absence de coopération et d'efforts interdisciplinaires sur le plan de la recherche universitaire d'une part et à l'absence de chercheurs sur le terrain au cœur des opérations, d'autre part[34].

Compte tenu de ce faible développement théorique, il convient de concentrer la présente recherche sur deux points essentiels: l'identification des pratiques propres au marketing gouvernemental et l'analyse de son organisation.

Avant toute autre considération, il nous semble en effet devoir établir avec précision quelles sont les activités gouvernementales qu'on peut qualifier de marketing. On a trop souvent tendance à tenir pour acquis que les gouvernements font du marketing sans prendre la peine de distinguer spécifiquement les pratiques gouvernementales qui relèvent du marketing de celles qui n'en relèvent pas. Ainsi en est-il de *L'État marketing* de Michel Le Seac'h[35] où le flot des anecdotes sans cadre théorique donne à penser que les gouvernements ne font rien d'autre que du marketing. Ainsi employé, le terme en vient à perdre sa signification.

Une fois les pratiques spécifiques au marketing établies, la problématique peut alors se déployer autour d'une considération centrale pour le marketing, soit la gestion d'une organisation. Comme le dit Kotler: «First, marketing is defined as a managerial process»[36]. Sur ce plan, nous le verrons bientôt, le marketing gouvernemental présente des caractéristiques qui le distinguent des autres types de marketing.

Spécifions toutefois d'entrée de jeu que nos intentions d'identification des pratiques marketing et d'analyse de leur organisation ne se concentreront ni sur des descriptions minutieuses des campagnes de publicité ou de relations publiques faites par les gouvernements, ni sur des évaluations systématiques

34 Michael P. Mokwa, Steven E. Permut, *Government marketing, Theory and Practice*, New York, Praeger, 1981, p. 33.

35 Michel Le Seac'h, *L'État marketing, Comment vendre des idées et des hommes politiques*, Paris, Éditions Alain Moreau, 1981, 325 p.

36 Philip Kotler, *Marketing for Non Profit Organizations*, New Jersey, Englewood Cliffs, Prentice-Hall, 2e édition, 1982, p. 6.

de l'efficacité, ni, enfin, sur des jugements généraux d'ordre éthique à leur sujet, car cela ne nous apparaît pas nécessaire pour identifier des pratiques marketing propres aux gouvernements ou pour en expliquer la gestion. Rien n'interdit toutefois de faire accessoirement référence à de telles considérations quand elles sont évoquées comme justification de pratiques marketing et cela, sans que nous jugions de la pertinence de telles justifications. En d'autres termes, nous ne sommes pas intéressés à colliger des recettes du marketing qui «marche» ni du marketing qui est, socialement ou moralement, louable.

Dans l'ensemble, les auteurs sous-entendent que les pratiques du marketing sont les mêmes pour tous les types de marketing. Partant du principe que le concept d'échange sous-tend toutes les activités de marketing, ils soutiennent que ces activités comprennent celles relatives à la connaissance des populations cibles, à la mise au point de moyens servant à influencer ces populations et à l'évaluation constante des effets de l'usage de ces moyens, le tout géré dans le cadre d'une approche intégrée (*marketing mix*) qui comprend le produit, le prix dans certaines applications, la distribution et la promotion ou leurs équivalents analogiques.

Nous ferons de même en considérant que le marketing gouvernemental consiste en la gestion d'opérations visant à connaître les populations cibles afin de satisfaire leurs désirs, et d'opérations faisant appel aux moyens d'influence appropriés. La gestion du marketing gouvernemental comprend la coordination, la planification, la rationalisation et le contrôle des programmes destinés à promouvoir les échanges souhaités entre la population d'une part, et le gouvernement d'autre part.

L'identification de la pratique marketing d'un gouvernement s'effectuera premièrement par la présence d'intentions relatives à la connaissance de la population, à l'influence qu'on veut exercer sur elle et à la gestion de ces pratiques; et deuxièmement, par l'utilisation *de facto* d'instruments de connaissance, d'influence et de gestion.

Connaître la population

Le vocabulaire qui laisse transparaître l'intention de sonder et de mieux connaître la population inclut toutes les expressions qui signifient un transfert d'information de la population vers le gouvernement telles l'étude des opinions, attitudes et comportements, la rétroaction, la rétroinformation, la saisie de l'image et de l'identité gouvernementales.

Les instruments appropriés à cette fonction de connaître sont les enquêtes de toutes sortes effectuées directement auprès de la population, y compris les sondages, les groupes de focalisation, les études de marché, les prétests de publicité, et les études d'impact, de même que certains moyens indirects tels que les analyses de contenu des médias.

Il existe à notre connaissance un seul ouvrage spécifiquement consacré à ces instruments dans le cadre du marketing gouvernemental, soit celui de Jérôme Bon et Albert Louppe, *Marketing des services publics, L'Étude des besoins de la population.*

Influencer la population

L'intention d'influencer la population propre au marketing gouvernemental a évolué dans l'histoire. À ses débuts, elle était identifiée à la propagande, soit l'action de communiquer un message suggestif d'attitudes et de comportements en faisant appel à des techniques persuasives.

Des années vingt jusqu'au milieu des années cinquante, la propagande occupe le premier plan dans les moyens d'influencer. Cependant, la connotation «manipulation psychologique» associée au concept de propagande par plusieurs auteurs, dont Wreford's, Lasswell, Doob, Krech et Crutchfield[37], l'a considérablement discréditée. De plus, la découverte de la dissonance cognitive par Léon Festinger en 1957 a ébranlé le simplisme du modèle stimulus-réponse[38] sur lequel reposait le concept de propagande.

37 R.J.R.G. Wreford's, "Propaganda, Evil and Good", *The XIX Century and After,* 1923; H. Lasswell, "Propaganda", *Encyclopedia of the Social Sciences*, vol. II, N.Y., Macmillan, 1948, p. 521-527; L. Doob, *Public Opinion and Propaganda,* N.Y., 1948; D. Krech et P.S. Crutchfield, *Theory and Problems of Social Psychology*, N.Y., 1948, 390 p.

38 L'hypothèse des effets directs attribués à la propagande est issue du modèle stimulus-réponse développé par Pavlov en 1927 et repris par Tchakotine qui tente de démontrer comment les propagandistes peuvent influencer leurs auditoires à la façon de Pavlov. Lasswell accrédite cette méthode en 1948 avec son processus séquentiel: «qui dit quoi à qui avec quel effet».

Pour Guido Fauconnier, la propagande peut être utilisée afin de renforcer des valeurs qui répondent à des besoins essentiels de la communauté, non valorisées en raison des contraintes qui affectent les individus dans la communauté. Ces valeurs peuvent être celles associées à la protection de l'environnement, la santé, la sécurité routière, etc.[39]

Enfin, le concept de propagande s'est trouvé fusionné à celui de publicité en raison du caractère persuasif des deux concepts ainsi qu'à leur intégration dans l'approche globale que constitue la communication persuasive.

> *On the other hand, a more integrated attitude in mass communication research has convinced scientific circles that propaganda and advertising share a common denominator, via their persuasive character. This technical development has resulted in more attention being given to persuasive communication in general*[40].

Les pionniers de la publicité américaine H. Borden et M.V. Marshall confirment cette proximité:

> *La publicité consiste à transmettre des messages oraux ou visuels au public visé afin de l'informer des produits ou services disponibles et de le persuader de les consommer*[41].

C'est ainsi que le concept de «publicité plaidoyer» destiné à influencer et modifier les comportements politiques et sociaux de la population à long terme va se développer.

L'intégration du concept de propagande à celui de publicité ne s'arrête cependant pas là. La publicité doit adapter son message au désir de la clientèle visée. L'industriel, le commerçant et le politicien doivent prévoir les comportements probables de leur clientèle respective.

La communication publicitaire s'appuie de nos jours sur les études de marché, les enquêtes de motivation et les sondages afin de comprendre les besoins et les désirs du consommateur.

39 Guido Fauconnier, *Mass media and Society*, Louvain, Universitaire Pers Lewen, Belgique, 1975.

40 Guido Fauconnier, *op. cit.*, p. 131.

41 H. Borden, M.V. Marshall, *Advertising Management*, Homewood, Illinois, 1959, p. 3. Traduction de l'auteur.

Comprise dans le contexte du concept de marketing, la publicité va à la rencontre de l'homme-consommateur pour lui vanter un produit préparé à sa mesure[42].

Notons que Kotler considère la propagande comme une activité propre au marketing politique:

Propagandizing is the marketing of a political or social idea to a mass audience. The propagandist attempts to package the ideas in such a way as to constitute values to the target audience for support[43].

Au chapitre de l'identification de la pratique marketing, l'intention d'influencer la population se traduit par l'utilisation des mots qui réfèrent à la transmission de messages vers la population tels: propagande, publicité, information, publications, documentation, distribution, image, identité visuelle, clientèle cible, public cible, marché cible, slogan et communication.

Les instruments d'influence comprennent les médias de toute nature de même que les outils généralement associés aux relations publiques[44] et aux relations avec la presse.

Gérer la connaissance et l'influence

L'intention de gérer, on l'a déjà vu, se traduit par des termes tels la coordination, la planification, la rationalisation et le contrôle des opérations de connaissance et d'influence.

Au chapitre des instruments, la gestion du marketing gouvernemental s'effectue par des appareils nommément chargés de mettre en œuvre ces intentions. On les retrouve dans les différents ministères ainsi que dans les différents exécutifs gouvernementaux qui se sont succédé.

42 René Y. Darmon, «La communication publicitaire» chapitre II, dans Claude Cossette (sous la direction de), *Communication de masse, consommation de masse*, Sillery, Éditions du Boréal Express, 1975, p. 50-51.

43 Philip Kotler, "A Generic concept of Marketing", *Journal of Marketing*, vol. 36, avril 1972, p. 53.

44 Il existe quelques articles, de nature essentiellement descriptive, sur la publicité gouvernementale. Phillipe Schneyder, «L'État et ses relations publiques», *Revue politique et parlementaire*, n° 771, octobre 1966; P. Schneyder, «L'Administration et les relations publiques», *Revue politique et parlementaire*, nos 772-773, novembre 1966.

De façon plus spécifique, ces appareils utilisent des instruments tels les plans de communication, la gestion publicitaire, le positionnement des images et des idées, les stratégies de communication, le placement média, etc.

Outre l'ampleur des objectifs de gestion qui leur sont confiés, l'importance de ces appareils se traduit dans la pratique par les ressources mises à leur disposition, soit les budgets dont ils disposent et le personnel qu'ils commandent.

Types d'objectifs marketing

Quant aux objectifs du marketing gouvernemental, qui sont généralement déterminés par l'exécutif, on peut les distinguer selon l'étendue des sujets visés et selon leur niveau de coordination. Les sujets visés sont sectoriels lorsqu'ils concernent le marketing des services gouvernementaux et généraux lorsqu'ils sont liés au marketing de l'exécutif gouvernemental. Leur niveau de coordination peut être à la fois interne et externe ou strictement interne. La coordination est interne lorsqu'elle ne se réalise qu'à l'intérieur de l'administration publique ou d'organismes sous la responsabilité directe de l'exécutif; elle est par contre externe lorsqu'elle s'applique à des organisations qui ne font pas partie de l'État. Dans le second cas, l'aire d'application du marketing gouvernemental se trouve élargie à la société civile.

Enfin, le degré de coordination des objectifs marketing, déterminé par l'exécutif, nous permettra de déceler des indices liés au rapport centralisation-politisation dans l'appareil gouvernemental.

Quant aux pratiques propres au marketing gouvernemental, elles peuvent être identifiées à l'aide du vocabulaire, des instruments, des appareils, et des ressources financières et humaines qui lui sont consacrées. Les objectifs du marketing, eux, sont circonscrits selon l'étendue des sujets visés, l'étendue de la coordination et le degré de contrôle.

L'organisation politico-administrative du marketing gouvernemental

Le marketing gouvernemental, on l'a vu, comporte trois volets: celui des entreprises gouvernementales, celui des services gouvernementaux et celui de l'exécutif gouvernemental. Pour ce qui est du premier, dans la mesure où il est mené de façon à peu près indépendante du gouvernement et strictement selon les préceptes propres au marketing commercial, il n'est, à vrai dire, gouvernemental que de nom et sera, par conséquent, exclu de la présente recherche. Quant aux deux autres volets, ils se situent au cœur même de notre préoccupation centrale: comment saisir, dans toute son originalité, le marketing des gouvernements?

Pour ce faire, il importe en premier lieu de comprendre que le marketing des services publics aussi bien que celui de l'exécutif gouvernemental relèvent en dernière instance des mêmes personnes. Ce sont, en effet, les ministres d'un gouvernement qui dirigent à la fois les services publics et le gouvernement dans son ensemble, ce qui ne signifie toutefois pas qu'il soit impossible d'identifier séparément les deux types de marketing. Notre typologie a permis de concevoir le marketing des services comme découlant de lois déjà votées, alors que le marketing de l'exécutif a davantage trait à la recherche par le gouvernement d'un support public soit en préparation d'une législation, soit à l'occasion d'un conflit dans lequel il est mêlé.

Il importe aussi de considérer que les dirigeants gouvernementaux se trouvent à être en même temps les dirigeants du ou des partis politiques dont le gouvernement est issu et qu'en conséquence, ils sont de surcroît responsables du marketing de ces partis. Lorsqu'on adopte, comme nous le faisons, le point de vue selon lequel les partis politiques mènent des campagnes permanentes, la problématique du marketing gouvernemental se complexifie en raison de cette troisième fonction qu'assument, *de facto*, les dirigeants gouvernementaux. En effet, il apparaît alors que, même si le marketing des partis ne saurait être formellement inclus dans le marketing gouvernemental, en raison des origines institutionnelles très distinctes de ces deux types de marketing, le marketing gouvernemental ne peut être étudié, dans sa pratique, comme une entité complètement indépendante du marketing des partis. C'est d'ailleurs généralement dans cette optique que la plupart des écrits anecdotiques relatifs au marketing le confinent au seul problème de savoir si le parti au pouvoir se sert des moyens marketing du gouvernement pour promouvoir des intérêts partisans dans un esprit de solidarité politique.

Le marketing gouvernemental se situe donc obligatoirement à la jonction de trois entités: administration publique, direction gouvernementale, partis politiques.

La gestion du marketing gouvernemental sous l'égide de l'exécutif se rapporte ainsi à un triple rapport binaire parti-gouvernement, gouvernement-administration et parti-administration, qui la différencie significativement de la gestion qui prévaut dans l'entreprise privée.

Kotler définit le marketing management dans ces termes:

> *Le marketing management est l'analyse, la planification, la mise en œuvre et le contrôle des programmes conçus pour mener à bien les échanges souhaités afin de réaliser un gain personnel ou mutuel. Il se fonde essentiellement sur l'adaptation et la coordination du produit, du prix, de la promotion et de la place pour provoquer une réaction efficace*[45].

Dans l'entreprise privée, une telle définition s'applique sans aucune contrainte ou obstruction de la part du personnel car les directives de l'exécutif sont impératives. Si un membre du personnel refuse d'obéir à une directive de l'exécutif, il sera remercié de ses services. Le contrôle et la coordination des effectifs sont des éléments clés dans une opération de gestion de l'effort marketing, et de l'approche intégrée qui en découle, dans une entreprise privée où seul l'avantage différentiel permet de survivre.

Dans une administration publique, il en va tout autrement; l'autonomie administrative des fonctionnaires et la résistance de l'opposition officielle aux intentions de marketing gouvernemental de l'exécutif imposent des contraintes à la gestion et à la coordination des divers types de marketing gouvernemental.

L'extrait suivant met en relief la profondeur du concept d'autonomie administrative:

> *L'enquête de Marie-Christine Kessler sur le changement dans la haute administration française depuis la victoire de la gauche en 1981 doit être mentionnée ici. En deux ans, les 2/3 des directeurs d'administration centrale ont changé. L'enquête de Kessler révèle que même le nouveau personnel nommé sous des considérations politiques et recruté à l'extérieur de la fonction publique cherche à faire prévaloir, après quelques années en poste, une distinction entre le domaine politique et le domaine technique*[46].

45 Philip Kotler, *Marketing Management, op. cit.*, p. 27.
46 Stéphane Dion, *op. cit.*, p. 114.

Par ailleurs, le marketing gouvernemental doit faire face à une autre contrainte qu'on ne rencontre pas dans l'entreprise privée, soit celle de l'opposition interne. Dans l'entreprise privée, les actionnaires minoritaires qui ne seraient pas d'accord avec les pratiques marketing de la direction ont peu de moyens de faire valoir leur opposition. Il en va autrement pour un gouvernement dont le marketing est, de droit, constamment soumis à la critique de l'opposition, ce qui rend sa gérance plus délicate.

Enfin, le marketing gouvernemental, contrairement au marketing commercial, doit être géré publiquement, c'est-à-dire que l'exécutif doit rendre compte de ses activités aux assemblées élues, à leurs vérificateurs ainsi qu'à la presse.

L'ensemble de ces différenciations crée un contexte spécifique pour la gestion du marketing gouvernemental, qui influe sur la nature et sur la composition des appareils de gestion appelés à faire le pont entre l'exécutif gouvernemental, l'opposition politique et l'administration publique. Dans un tel contexte se posent toute la question de l'autonomie des administrateurs et, par conséquent, celle de la façon dont l'acte de gestion, essentiellement lié à des fonctions de coordination et de contrôle, peut être mis en œuvre par l'exécutif gouvernemental.

En résumé, la problématique politico-administrative du marketing gouvernemental se rapporte premièrement aux rapports parti-gouvernement, deuxièmement, aux rapports administration-gouvernement qui mettent en cause l'autonomie de l'administration, la solidarité politique ainsi que la volonté exécutive de coordination et de contrôle, et, finalement, aux rapports parti-administration.

II

Propagande, publicité et marketing au Québec, 1929 à 1976

3

De Taschereau à Duplessis, 1929-1960

Dès 1869, l'administration publique de la province de Québec cherche à influencer la population: les agriculteurs par le *Journal d'Agriculture*, et les nouveaux colons par l'intermédiaire du journal *Le Guide du Colon*. L'exécutif gouvernemental a le même but lorsque le gouvernement d'Honoré Mercier publie en 1890 une brochure vantant les mérites de la province et les siens[47].

Cependant, la préoccupation formelle du gouvernement provincial d'utiliser les médias électroniques à ses propres fins remonte à 1929. Le 4 avril 1929, le Conseil législatif et l'Assemblée législative du Québec adoptent la Loi relative à la radiodiffusion[48]. Cette dernière manifeste la volonté de l'exécutif gouvernemental québécois de se doter d'un réseau de radiodiffusion au Québec.

Le Premier ministre d'alors, Alexandre Taschereau, désire créer un système provincial de radiodiffusion afin de transmettre à la population l'information qu'il jugera pertinente.

47 James Iain Gow, *Histoire de l'administration publique québécoise 1867-1970*, Presses de l'Université de Montréal, Montréal, 1986, p. 51, 52, 61.

48 Georges V, chapitre 31, *Loi relative à la radiodiffusion en cette province* (sanctionnée le 4 avril 1929).

L'opposition, entre autres par la voix du député conservateur Maurice Duplessis, se dresse contre ce projet, accusant le gouvernement Taschereau de vouloir fabriquer un instrument de propagande pour les libéraux[49].

Le projet avorte tout de même en 1931 lorsque, à la demande du gouvernement fédéral, le Conseil privé de Londres rend un jugement déclarant que le fédéral a juridiction exclusive en matière de radiodiffusion.

C'est donc dès les tout premiers moments de la radiodiffusion au Canada[50] que le gouvernement du Québec a manifesté sa volonté d'user de ce nouvel instrument de communication de masse, posant par là le premier geste officiel que nous avons pu retracer relativement au marketing gouvernemental. Ce geste comporte en effet la marque distinctive du marketing gouvernemental puisque son intention est de diffuser des messages en provenance du gouvernement à l'intention de la population, de doter le gouvernement d'un appareil à cette fin, et d'utiliser les médias de masse.

Le budget qui avait été prévu par la Loi s'élevait à 200 000 $ pour l'équipement et les infrastructures et à 15 000 $ pour l'opération des émissions.

Le 29 mars 1933, on identifie officiellement à l'intérieur d'une loi au Québec la fonction de publicité et de propagande au service de l'État[51].

En mai 1937, une loi crée l'Office du tourisme[52] et le place sous l'autorité du ministère des Affaires municipales, de l'Industrie et du Commerce. Cet organisme est chargé de la documentation, de la propagande, de la publicité et de l'organisation de l'industrie touristique sur le territoire du Québec. Elle retire au ministre de la Voirie le pouvoir de diriger l'Office tel qu'il était stipulé dans la loi du 29 mars 1933. Pour la première fois, on est en mesure de constater la création d'un appareil gouvernemental voué à la propagande et à la publicité.

49 *Le Mémorial du Québec,* Le Québec de 1939 à 1952, Tome VI, La Société des éditions du Mémorial, Montréal, 1979, p. 137-138.

50 Radio-Canada a commencé à diffuser en 1936.

51 Georges V, chapitre 36, article 2, *Loi concernant le tourisme* (sanctionnée le 29 mars 1933).

52 Georges VI, chapitre 48, article 1, *Loi relative au tourisme* (sanctionnée le 27 mai 1937).

Le 9 mai 1941, la Loi relative au tourisme tombe sous la responsabilité du Premier ministre[53].

L'année suivante elle est amendée. Selon cet amendement, les dépenses engagées pour son exécution seront désormais payées à même les crédits que l'Assemblée législative voudra bien y consacrer. Une telle disposition dans la Loi semble indiquer cette volonté qu'a l'exécutif de légitimer l'utilisation de la propagande et de la publicité en période de conflit par le recours à la majorité parlementaire.

La Loi relative au tourisme fait l'objet d'un autre amendement le 26 mai 1943[54]. Pour la première fois, le mot «publicité» apparaît dans le titre d'une loi au Québec: «l'Office du tourisme et de la publicité». La légitimation du mot «publicité» témoigne de l'importance qu'accorde l'État à l'emploi de ce mode de diffusion.

Enfin le 20 avril 1945, la loi créant l'Office de la radio de Québec[55] constitue la seconde tentative de l'exécutif gouvernemental de se doter d'un canal de diffusion médiatisé sur le territoire québécois.

À la fin du second conflit, Duplessis était conscient du rôle qu'avait joué Ottawa dans l'élection du gouvernement Godbout en 1939 et de l'influence qu'avait exercée le *Wartime Information Board* dans la promotion de l'effort de guerre au pays et plus particulièrement au Québec. Le rôle du *Wartime Information Board*, créé en 1942, était de coordonner l'information sur l'effort de guerre qu'émettait le gouvernement fédéral à l'intérieur ainsi qu'à l'extérieur du pays, par la voix de Radio-Canada entre autres médias.

> *Pour être franc, durant la guerre, ledit Radio-Canada a été plutôt partial. Non seulement il a refusé de passer les discours de Duplessis en direct, durant la campagne électorale de 1939 —sous prétexte qu'il pourrait prêcher la sédition — mais il a laissé les libéraux parler tout leur soûl... Or, quand on s'appelle Maurice Duplessis, on n'oublie pas! D'où la présentation de la loi, le 13 mars 1945...*[56]

53 Georges VI, chapitre 22, articles 5 et 18, *Loi concernant le pouvoir exécutif* (sanctionnée le 9 mai 1941).

54 Georges VI, chapitre 40, *Loi relative au tourisme* (sanctionnée le 26 mai 1943).

55 Georges VI, chapitre 56, *Loi autorisant la création d'un service provincial de radiodiffusion* (sanctionnée le 20 avril 1945).

56 Le Mémorial du Québec, *op. cit.*, p. 138.

Cette période est caractérisée par un affrontement systématique au chapitre des relations fédérales-provinciales entre Québec et Ottawa dans plusieurs champs d'activités: la politique de guerre, la conscription, la centralisation des pouvoirs et la constitution. En matière de radiodiffusion, la juridiction relève de l'État fédéral, comme l'a affirmé le Conseil privé en 1931.

Le préambule du projet de loi provincial confirme ce besoin de **contrôle** que revendique l'exécutif:

> *Attendu que la radiodiffusion est un puissant moyen de publicité et de formation intellectuelle et morale; Attendu qu'il est de la plus haute importance pour le Québec de bien faire connaître le sens et la légitimité de ses revendications et de ses aspirations; Attendu qu'il est juste et nécessaire de créer une organisation radiophonique conforme aux droits consitutionnels de la province et du pays, affectée spécialement à la poursuite de ces fins, sous la surveillance du gouvernement*[57].

Selon Rumilly, c'est un nouvel épisode de la guerre fédérale-provinciale. Les centralisateurs redoublent d'efforts. Ils invoquent l'unité canadienne et recherchent une unité anglo-canadienne, par l'assimilation des Canadiens français. Les antagonismes latents se cristallisent autour du projet de loi. Les fédéraux, qui ont conquis le champ de la radiodiffusion de haute lutte, considèrent cette action comme une provocation. Ils prétendent que la juridiction est vitale[58].

Lorsque le débat sur Radio-Québec s'engage, le 13 mars 1945, Duplessis fait valoir qu'il est «nécessaire de propager la pensée de Québec, de contrecarrer les efforts accomplis dans certains milieux pour présenter notre province sous un faux jour»[59].

D'ailleurs, le projet de loi sur la création de Radio-Québec soulève l'ire de l'opposition. «Léon Casgrain, L.-P. Lizotte, Jacques Dumoulin et Fernand Choquette criblent le projet d'une "Radio-Duplessis", qui sera chargée de diffuser, non par la voix nationale, mais par la voix de l'Union nationale. David Côté abonde dans le même sens: "Radio-Québec fera entendre la voix de son maître"»[60].

57 Robert Rumilly, *Maurice Duplessis et son temps*, volume 2, 1944-1959, Fides, Montréal, 1973, p. 49.

58 *Ibid.*, p. 49.

59 *Ibid.*, p. 51.

60 *Ibid.*, p. 52.

La Loi est adoptée au parlement provincial par 42 voix contre 25 et ratifiée par le lieutenant-gouverneur en conseil le 20 avril 1945. Le budget prévu par la Loi pour les infrastructures et les équipements s'élèvent à cinq millions de dollars.

Ottawa n'a pas dit son dernier mot. Le jugement rendu par le Conseil privé de Londres en 1931 sur la juridiction du fédéral en matière de radiodiffusion est toujours en vigueur.

Pour des motifs politiques liés aux séquelles laissées par la conscription au Québec, le Cabinet fédéral évite de réfuter publiquement la loi sur Radio-Québec. Il fait plutôt appel à Augustin Frigon, directeur général de la Société Radio-Canada, pour faire avorter le projet. L'émissaire de Duplessis, Georges Léveillé, se fait dire par Augustin Frigon: «Les demandes faites par une province n'ont pas plus d'importance que les demandes faites par une corporation privée ou par un individu». C'est alors que, le 19 mars 1946, Duplessis écrit à ce dernier une lettre explosive dont voici un extrait:

> *Vouloir monopoliser la radio pour le gouvernement fédéral et pour les corporations privées ou pour les particuliers que les autorités fédérales voudraient favoriser, ce serait adopter une politique souverainement injuste, qui foulerait aux pieds la liberté de parole bien comprise, les droits des provinces, et qui s'apparenterait à des théories dictatoriales et fascistes qui doivent nous répugner comme elles répugnent à tous les véritables amis d'une démocratie*[61].

Le 21 mars 1946, Augustin Frigon répond au Premier ministre, dans une lettre au style bureaucratique[62], qu'il réfère le dossier à ses supérieurs, en l'occurrence, le conseil d'administration de la Commission de la radio à Ottawa. Pour des motifs techniques, le conseil d'administration refusera d'accorder un permis d'exploitation à Radio-Québec. Le projet avorte donc.

À l'instar de la première tentative de 1929 en vue d'implanter une radio gouvernementale provinciale, nous percevons clairement dans ce cas-ci la lutte sur la division des pouvoirs dans un secteur aussi vital que le contrôle des médias électroniques.

61 *Ibid.*, p. 119.
62 *Ibid.*, p. 120.

L'Office provincial de publicité, 1946-1961

Le 17 avril 1946, l'Office du tourisme et de la publicité devient l'Office provincial de la publicité[63]. Les concepts de propagande et de publicité sont pour la première fois utilisés à des fins autres que touristiques, et institutionnalisés à l'intérieur d'un organisme gouvernemental leur étant totalement consacré.

Le préambule de la Loi pour instituer un service provincial de publicité reconnaît l'importance des journaux et de la radio comme médias d'information, d'éducation populaire et de propagande. Il souligne également leurs fonctions de promotion culturelle, sociale et, indirectement, politique.

> *Attendu qu'une saine publicité organisée par la province offrirait à la population de grands avantages d'ordre éducatif et contribuerait largement à faire connaître le Québec sous son vrai jour, à mettre en relief son caractère propre, ses traditions et ses aspirations, ses valeurs culturelles, ses attraits touristiques, ses promesses d'avenir et ses réalisations dans tous les domaines*[64].

Les mots *caractère propre, aspirations, promesses d'avenir, valeurs culturelles* et *réalisations dans tous les domaines* sont autant d'indices de la volonté de l'exécutif de faire appel à la propagande et à la publicité afin de promouvoir des intérêts politiques au sens le plus large du terme. Ces mots indiquent aussi une correspondance entre les aspirations nationalistes de l'Union nationale et celles du gouvernement.

De plus, ce besoin de coordonner la publicité de tous les ministères, signifié dans le préambule de la Loi, met en relief l'importance que l'exécutif accorde au marketing de l'État que représente la province de Québec. L'Office provincial de publicité (OPP) relève d'ailleurs directement du Conseil exécutif.

Enfin, la portée de cette loi est telle que l'OPP a le pouvoir de conclure des ententes relatives à l'information sous toutes ses formes avec l'entreprise privée, des individus ou d'autres gouvernements.

63 Georges VI, chapitre 44, *Loi pour instituer un service provincial de publicité* (sanctionnée le 17 avril 1946).

64 *Ibid.*, préambule, p. 149.

Le point tournant dans l'utilisation de la propagande et de la publicité à des fins autres que touristiques doit être vu comme un dépassement de l'échec subi par l'exécutif gouvernemental québécois face à Ottawa dans le projet de création d'une radio provinciale de 1929.

En 1960, l'Office provincial de la publicité comptait 135 employés dont 85 s'occupaient de ciné-photographie; les 50 autres étant affectés au Service du tourisme. Parmi ces derniers, cinq s'occupaient partiellement de publicité gouvernementale[65].

Lors de sa mise sur pied en 1946, l'OPP disposait d'un budget de 104 788 $; en 1961, ce budget s'élevait à 1 567 661 $.

65 *Annexes au rapport sur les communications du gouvernement du Québec,* Volumes I et II, Bibliothèque de la Législature, Québec, 8 mai 1970, annexe 1, Projet de planification et de coordination de l'information et de la publicité du gouvernement du Québec, Guy Gagnon, conseiller spécial du secrétaire de la province, 16 novembre 1961, p. 19.

4

La révolution tranquille: premières manifestations d'un marketing gouvernemental organisé, 1961-1966

Le 27 avril 1961, le gouvernement libéral de Jean Lesage restructure l'Office provincial de la publicité en trois organismes distincts[66]:

1) l'Office d'information et de publicité du Québec (OIPQ);
2) l'Office du film de la province de Québec;
3) l'Office du tourisme de la province de Québec.

Bien que l'OIPQ relèvera désormais du Secrétariat de la province de Québec, et non plus du Conseil exécutif comme c'était le cas de l'OPP depuis avril 1946, le pouvoir qu'a l'exécutif de contrôler les activités marketing n'est aucunement altéré, les deux instances relevant directement de lui.

66 Elizabeth II, chapitre 20, *Loi modifiant la Loi du Secrétariat*, articles 9-10 (sanctionnée le 27 avril 1961).

Pour la première fois, le mot «information» apparaît comme complément de celui de «publicité» dans le titre de l'organisme chargé de réaliser le marketing gouvernemental.

Les fonctions de l'OIPQ sont les suivantes:

L'Office d'information et de publicité de la province de Québec est chargé de l'information et de la publicité des ministères et services du gouvernement et de tout organisme qui en relève et auquel le lieutenant-gouverneur en conseil étend l'application de la présente section[67].

Cette restructuration témoigne d'une volonté de l'exécutif gouvernemental de sectoriser les fonctions de communication à l'intérieur de l'administration publique québécoise. Une telle approche sectorielle favorise une spécification des tâches en matière de communication.

En novembre 1961, M. Guy Gagnon, journaliste de Montréal (attaché au Cabinet du Premier ministre), dépose un rapport sur la planification et la coordination de l'information et de la publicité du gouvernement de la province de Québec.

Ce rapport comprend six chapitres, incluant la conclusion, lesquels traitent de la structure, des cadres, du personnel, des locaux et du budget de l'OIPQ[68].

Le chapitre sur la structure distingue les deux fonctions que représentent l'information et la publicité dans les ministères et souligne la nouvelle responsabilité administrative et fonctionnelle que l'OIPQ doit exercer sur eux.

Le nouvel Office est tributaire de chaque ministère en matière de disponibilité des services d'information et de publicité. Le lien fonctionnel entre les ministères et l'Office doit être assumé par le responsable des Services d'information ou de publicité de chaque ministère, et ce, dans tous les secteurs concernés par une activité de communication.

L'OIPQ est par ailleurs responsable de la supervision et de la coordination de toute l'information et la publicité émanant des ministères.

67 *Ibid.*, article 32, p. 138.

68 Guy Gagnon, *Annexes au rapport sur les communications du gouvernement du Québec*, volumes I et II, annexe I, *op. cit.*, p. 4.

En matière d'information, le Rapport Gagnon suggère les tâches suivantes pour l'OIPQ:

> *1.0 Stimuler et coordonner l'information des différents ministères, services et organismes gouvernementaux.*

Selon ce rapport, les fonctions de coordination et de stimulation constituent deux composantes clés de l'approche marketing pour les services gouvernementaux.

> *2.0 Maintenir des contacts étroits et amicaux avec les journalistes de la presse écrite, parlée et télévisée.*

Cette recommandation témoigne du besoin de faire appel à la dimension relations publiques qui relève de la fonction promotion de l'approche intégrée (*marketing mix*) en marketing.

Les recommandations 3, 4 et 5, qui visent à dresser la liste de tous les médias écrits et électroniques, à centraliser au Service de l'information les tâches d'impression, de distribution et d'expédition, et à coordonner et surveiller la cadence des informations provenant des divers ministères, afin d'éviter le double emploi, mettent en relief la fonction distribution du *marketing mix*.

Les recommandations 6 et 7 témoignent pour la première fois du souci qu'a l'exécutif gouvernemental de respecter, en matière de nominations à l'Office, le processus de dotation des emplois en vigueur dans l'administration publique de l'époque. Certaines lois précédentes, en l'occurrence celle de 1946 concernant la propagande et la publicité gouvernementales et celle de 1961 qui crée l'OIPQ, ne font état que de nominations et de rémunérations conformes à la Loi du service civil sans plus. Les articles 6 et 7 font aussi apparaître le besoin qu'éprouve l'exécutif de légitimer l'information et la publicité gouvernementales en se servant des fonctionnaires de l'État pour la diffuser.

Les recommandations 8, 9, 10 et 11 confirment le lien fonctionnel entre l'OIPQ et les ministères sur les plans de leur programmation budgétaire, de la mise sur pied de leur Service d'information, de la création d'un Service de traduction centralisé à l'Office — afin de rationaliser la traduction des communiqués ou autres informations produites par les ministères — et d'un Service central de renseignements sur les structures et activités de l'État.

Enfin, la dernière recommandation (12) consiste à établir une banque centrale pour la distribution des photos aux médias écrits et électroniques. Ces recommandations font ressortir la nature centralisatrice et englobante du nouvel Office.

En ce qui a trait à la publicité, l'auteur insiste sur les tâches suivantes:

La première recommandation traite du rôle de conseiller qu'aura à jouer l'OIPQ dans l'élaboration des campagnes publicitaires de tous les ministères. Un tel rôle confirme encore une fois la responsabilité de coordination qui échoit à l'Office dans sa relation avec les ministères.

La seconde fait état de la nécessité de confier l'exécution d'une campagne publicitaire à l'agence la plus compétente possible.

La troisième souligne l'importance de maintenir des contacts amicaux avec les agences de publicité et avec le personnel qui les compose. Cette mesure, à l'instar de la recommandation 2 de la partie information, réitère le besoin de faire appel à la dimension relations publiques qui est partie intégrante de la fonction promotion dans le *marketing mix*.

Les recommandations 4, 5, 6, 7, 8 et 9 portent sur la conception d'une méthode efficace pour placer de façon appropriée la publicité gouvernementale, sur l'uniformité de la signature gouvernementale en matière de publicité, sur l'établissement d'une liste de médias écrits et électroniques auxquels la publicité gouvernementale peut être confiée, sur la coordination et la surveillance du nombre et du type d'annonces diffusées par les ministères, sur la participation conjointe de l'OIPQ et des ministères dans l'élaboration des budgets publicitaires de ces derniers, ainsi que sur le soutien technique de l'Office à la réalisation de toutes les publications gouvernementales.

L'ensemble de ces recommandations prouve hors de tout doute l'utilisation de trois composantes de l'approche intégrée (*marketing mix*) dans le marketing des services gouvernementaux, c'est-à-dire l'identification du produit que représentent les services gouvernementaux, leur distribution par la voie du Service de l'information et leur promotion par les Relations publiques et la Publicité.

Quant aux relations entre les deux Services de l'OIPQ —ceux de l'information et de la publicité —, le rapport prévoit les fonctions et le lien hiérarchique suivants:

Le Service de l'information sera dirigé par un chef dont la tâche consistera à déterminer, avec les autorités compétentes de chaque ministère, les besoins techniques, thématiques et financiers de ces derniers en matière d'information gouvernementale. De plus, il sera responsable des sections à l'intérieur de son propre Service, en l'occurrence celles de l'impression, de la correspondance, de la distribution, de la traduction, de la recherche et du renseignement sur l'administration provinciale.

Le Service de la publicité, à l'instar du précédent, aura un chef à sa tête. Ses tâches seront de conseiller les ministères sur leur programmation publicitaire respective, de veiller à établir le budget publicitaire de la province, de contrôler le travail des agences publicitaires à qui seront confiées les campagnes, d'évaluer le rendement de ces campagnes publicitaires et de coordonner la publicité de tous les ministères, lesquels fonctionnaient dans l'autonomie complète avant la création de l'OIPQ.

Le personnel du Service de publicité sera composé à ses débuts d'une secrétaire, d'un publicitaire-conseil, d'un conseiller artistique spécialisé en publicité et d'un commis affecté aux documents, à la classification ainsi qu'aux messageries.

Enfin, le Rapport Gagnon spécifie les tâches qui incomberont au directeur de l'OIPQ, soit essentiellement de gérer l'Office dans son ensemble et, en particulier, ses Services d'information et de publicité. Il aura des bureaux à Montréal et à Québec. De plus, il servira de lien fonctionnel entre l'administration publique et l'exécutif gouvernemental lors des prises de décisions:

> *Sa tâche principale sera de régler aux plus hauts échelons les problèmes qui surgiront tant dans le domaine de l'information que de la publicité et dont la solution exige l'approbation du Secrétaire de la Province et du ministre ou des ministres concernés* [69].

Pour ce qui est du personnel en place, M. Gagnon, à la suite de conversations avec certains membres de l'Office provincial de publicité (Robert Prévost et Joseph Morin), en vient à la conclusion qu'aucun des 135 employés qui composent le personnel

69 *Ibid.*, p. 18.

de l'OPP en 1961 n'est éligible pour occuper les nouvelles fonctions dévolues à l'OIPQ. Gagnon recommande toutefois que ces derniers demeurent en poste dans leurs fonctions respectives avec le nouvel Office du tourisme. Ces recommandations relatives à la nécessité de cantonner l'ancien personnel à l'Office du tourisme et d'embaucher un personnel complètement nouveau pour l'OIPQ indiquent nettement une volonté de faire de l'OIPQ un organisme professionnel et hautement spécialisé en matière de marketing gouvernemental.

L'auteur du rapport s'en remet au secrétaire de la province pour déterminer le mode de recrutement du personnel. Une telle démarche confirme une fois de plus le pouvoir de l'exécutif sur l'Office.

On ne peut omettre de signaler la complicité de l'exécutif dans la création du nouvel Office et l'importance qu'il y accorde, même dans le choix des locaux. Cette remarque de Gagnon le confirme:

> *Lors d'une visite de ces locaux en compagnie du Premier ministre et du ministre des Travaux publics, il avait été décidé que le service de publicité serait installé au dernier plancher de l'édifice du C.N.R., dans la partie où le Premier Ministre et le Secrétaire de la Province auront leur propre bureau*[70].

Sur le plan budgétaire, l'auteur du rapport privilégie une approche rationnelle comprenant les postes suivants:

1) traitements;
2) publicité (annonces des ministères, services et organismes gouvernementaux);
3) information (communiqués, photos, dépliants...);
4) matériel, fournitures de bureau, etc.;
5) recherche et renseignements (abonnements et publications);
6) frais de voyage, représentation;
7) frais de bureau et dépenses diverses.

Il note qu'à l'exception des annonces générales, aucun des postes budgétaires précédents n'est inclus dans les prévisions budgétaires 1961-1962 du secrétaire de la province.

70 *Ibid.*, p. 21.

La Loi du 27 avril 1961 stipule ce qui suit: les dépenses reliées à l'application des dispositions de l'article 2 de la présente loi seront payées durant l'exercice financier 1961-1962 à même le budget voté pour l'OPP. Le montant voté totalisait 1 755 000 $.

À la suite de consultations avec le gestionnaire du budget de l'OPP, M. Robert Prévost, Gagnon constate que seulement 400 000 $ sont disponibles pour l'OIPQ, somme déjà entièrement engagée pour les besoins publicitaires des ministères. Il recommande donc à l'exécutif de voter un budget supplémentaire pour le reste de l'année financière 1961-1962.

Guy Gagnon conclut dans son rapport qu'un certain temps sera requis pour que le nouvel Office soit en mesure d'exécuter toutes les recommandations du rapport.

Le 27 septembre 1962, M. Gaëtan Major, publiciste, est nommé directeur de l'Office d'information et de publicité du Québec. Il est le premier à occuper ce poste, attribué conformément aux normes en vigueur dans la Commission du service civil. Le poste est donc permanent. Par ailleurs, la nomination de M. Major a été effectuée par arrêté en conseil, donc par l'exécutif gouvernemental, c'est-à-dire sur proposition du Premier ministre.

Dès son engagement, Gaëtan Major se consacre exclusivement à la publicité du gouvernement. C'est du moins ce qui ressort du premier rapport annuel de l'OIPQ déposé en juin 1965[71]. Ce phénomène, Jean Loiselle l'attribue partiellement au fait que Gaëtan Major provenait d'une agence de publicité[72]. M. Major sera en fonction près de 2 ans (septembre 1962 à mai 1964) période pendant laquelle, sur le plan opérationnel, l'activité du Service d'information est nulle et celle du Service de publicité faible.

Le 14 mai 1963, René Montpetit est nommé conseiller technique en information à l'Office d'information et de publicité du Québec. Ce dernier est muté du ministère de la Jeunesse, où il occupait le poste de directeur de l'information, au Secrétariat de la province afin de coordonner toute l'information gouvernementale et de mettre sur pied les structures administratives de l'OIPQ.

71 *Rapport annuel du Secrétariat de la province de Québec 1964-1965*, secrétaire: l'honorable Bona Arsenault, juin 1965, p. 56.

72 *Rapport sur les communications du gouvernement du Québec*, volume I, «L'évolution de l'information gouvernementale au Québec», Québec, 28 septembre 1966, p. 25.

Cette nomination de l'exécutif témoigne du besoin qu'il éprouve de développer le Service d'information gouvernementale au sein de l'OIPQ le plus rapidement possible.

D'ailleurs, le jour précédant la nomination de Montpetit, le secrétaire de la province, Bona Arsenault, transmettait à ses collègues du Conseil exécutif une note de service à ce sujet. La note précisait que le conseiller technique relèverait directement du Conseil des ministres. Elle contenait également, à peu de choses près, les recommandations du Rapport Gagnon au chapitre de l'information gouvernementale ainsi qu'un appel à la collaboration des membres du Conseil exécutif afin que les réalisations de l'exécutif gouvernemental soient connues de l'électorat.

Le 11 juin 1963, un comité formé à l'instigation de René Montpetit et présidé par le secrétaire de la province dépose un rapport préliminaire visant à préciser les objectifs et les structures de l'information officielle au Québec. Pour faire suite à ce rapport, le Conseil des ministres autorise, le 18 juin, un budget supplémentaire afin de mettre sur pied les structures administratives de l'Office, et de permettre à la Commission du service civil de détacher une personne-ressource à l'OIPQ, en l'occurrence M. Roch Pérusse.

La composition de ce comité met en relief l'interaction exécutif - administration - parti dans la mise sur pied de l'Office. Les membres du comité sont, en effet, les suivants: C.J.R. Langlois, chef de l'organisation et de la classification à la Commission du service civil; André Guérin, directeur de l'Office du film du Québec; Guy Lechasseur, adjoint parlementaire du secrétaire de la province; Maurice Leroux, directeur des relations extérieures de la Fédération libérale du Québec; Guy Gagnon, secrétaire exécutif au Cabinet du Premier ministre; Gaëtan Major, directeur de l'OIPQ et René Montpetit, conseiller technique à l'OIPQ.

Pour la première fois, le terme «information officielle» apparaît dans le titre du rapport préliminaire déposé par le comité: «Objectifs et structures de l'information officielle au Québec»[73].

À l'automne 1963, le rapport intitulé «Structure administrative et fonctionnelle de l'information officielle du Québec» est adopté par le Conseil des ministres. Il mérite une attention spé-

73 *Rapport sur les communications*, volume I, *op. cit.*, p. 18.

ciale car il est le fruit d'une politique destinée à maximiser l'intégration du marketing des services gouvernementaux au marketing de l'exécutif gouvernemental.

Dans un premier temps, les auteurs du rapport, MM. René Montpetit et Roch Pérusse, ont pris soin de définir l'information officielle en ces termes:

> *L'information officielle (c'est ainsi que la langue française définit l'information émanant d'un gouvernement) se décrit comme étant l'ensemble de l'information provenant des différents ministères et organismes gouvernementaux destinée à la population en vue de la renseigner sur tout ce qu'elle est en droit de savoir. D'autre part, elle se définit également comme étant l'information destinée à renseigner les gouvernements sur l'attitude des gouvernés*[74].

Il est intéressant ici de constater que les auteurs emploient le terme gouvernement et non État, impliquant ainsi qu'il y a une distinction entre l'information administrative qui provient de l'État et l'information officielle qui provient de l'exécutif, c'est-à-dire du gouvernement. Ici, l'information officielle est un outil dont se sert l'exécutif pour légitimer et promouvoir ses actions.

Ensuite, les auteurs incluent à l'intérieur de la définition un élément de rétroinformation, qui apparaît pour la première fois dans l'information gouvernementale québécoise. Grâce à la rétroinformation, l'exécutif gouvernemental pourra analyser les attitudes et comportements de la population et adapter de façon graduelle ses politiques aux exigences de cette dernière. L'analyse du comportement des populations cibles est un élément indispensable du processus décisionnel en marketing.

MM. Montpetit et Pérusse recommandent également que soit omis le mot publicité dans le titre de l'Office et que l'OIPQ devienne ainsi l'OIQ, l'Office d'information du Québec. Ils légitimisent cette démarche en s'appuyant sur l'exemple britannique:

> *D'ailleurs, la Grande-Bretagne s'est donné, il y a plus de 50 ans, un organisme central que l'on a appelé le* Central Office of Information. *Nous remarquons dans ses structures qu'il possède un secteur appelé* Advertising Division[75].

74 *Annexes au Rapport sur les communications du gouvernement du Québec*, volumes I et II, annexe II, p. 6.

75 *Ibid.*

Hormis la tendance de Montpetit et Pérusse à vouloir s'inspirer du COI (*Central Office of Information*) pour établir l'Office, la préférence de Montpetit pour l'information semble aussi avoir joué un rôle dans l'orientation du rapport. Comme Jean Loiselle le mentionne, René Montpetit, contrairement à Gaëtan Major, provenait d'une salle de rédaction de journal[76].

Le Rapport Montpetit-Pérusse détermine les objectifs de l'information officielle: 1) renseigner la population sur les structures et les services rendus par l'État, 2) renseigner l'exécutif gouvernemental sur l'état de l'opinion publique, 3) projeter au Québec, au Canada et à l'étranger une image exacte et uniforme du Québec. Il précise aussi les moyens à employer pour atteindre ces objectifs: l'utilisation d'un bureau de presse, de l'audiovisuel, de la publicité et des imprimés.

Ce document définit, et par conséquent légitimise, le contrôle de l'exécutif. Ce contrôle s'effectuera par le secrétaire de la province qui est «chargé d'appliquer la loi relative à l'information et doit donc exercer une surveillance qui assurera le gouvernement que sa politique est suivie»[77].

La quatrième et dernière recommandation de cette section suggère qu'un poste de sous-secrétaire adjoint responsable de l'OIPQ, de l'Office du film et de l'Imprimeur de la Reine soit créé. La création de ce poste témoigne du besoin qu'éprouve l'administration (la fonction publique) de s'organiser dans les plus brefs délais pour maintenir le lien fonctionnel avec l'exécutif gouvernemental. Le rôle du sous-secrétaire adjoint de la province (SSAP) est, en effet, d'assumer la responsabilité administrative des trois organismes cités ci-dessus. À cette fin, il est responsable de la planification, de la coordination, de la présentation, de la production et de la distribution.

Ces responsabilités du SSAP s'apparentent fort à celles qui existent dans une opération de gestion de la mise en marché d'un produit. Les recommandations suivantes, relatives à son rôle, en témoignent clairement:

> 3. *Il prévoit et prépare les grandes campagnes d'information tant dans la province qu'au pays et à l'étranger avec la collaboration étroite des ministères.*

76 *Rapport sur les communications du gouvernement du Québec*, vol. I, *op. cit.*, p. 25.
77 *Annexes au Rapport sur les communications...*, vol. I et II, annexe II, *op. cit.*, p. 9.

4. *Il assure l'uniformité de présentation et lui donne un caractère officiel.*

5. *Il coordonne les moyens de production en vue d'un rendement maximum et d'une utilisation rationnelle des budgets affectés à ces fins.*

6. *Il établit les politiques d'une distribution efficace*[78].

Les fondements de l'approche marketing étaient déjà apparus dans le Rapport Gagnon; cependant, l'inclusion du concept de rétroinformation dans le présent rapport, ainsi que l'identification des responsabilités précitées, ont pour la première fois permis d'indiquer clairement le désir des auteurs de réaliser, dans le cadre d'une approche globale, un exercice de marketing pour l'exécutif et les services gouvernementaux.

La section consacrée au rôle de l'Office d'information insiste sur les fonctions de transmission et de coordination des volontés de l'exécutif gouvernemental que doit jouer l'OIPQ. Montpetit et Pérusse basent la structure fonctionnelle de l'Office sur cinq Services en interrelation constante: 1) la rédaction, qui conçoit les communiqués de presse, les brochures, les dépliants, etc. et qui se charge de réaliser les enquêtes sur l'état de l'opinion publique; 2) la publicité, qui se charge de concevoir les campagnes publicitaires et les études de marché; 3) la documentation, qui est responsable de la rétroinformation pour l'exécutif gouvernemental et l'administration; 4) les publications, dont le rôle est d'uniformiser la présentation du matériel gouvernemental et de vendre les publications gouvernementales; 5) la coordination, qui doit maintenir une liaison fonctionnelle en matière d'information et de publicité gouvernementales.

À la suite de l'adoption du Rapport Montpetit-Pérusse, le Conseil des ministres crée le poste de sous-secrétaire adjoint suppléant et, le 16 octobre 1963, y nomme René Montpetit. Le 29 janvier 1964, les cinq Services qui constituent la structure fonctionnelle de l'Office sont approuvés par le Conseil des ministres. Mais il faudra attendre jusqu'au 6 mai de la même année pour que le Service des publications, anciennement connu sous le nom de Service des impressions, soit rattaché à l'OIPQ sous le titre Division des publications.

78 *Ibid.*, p. 12-13.

L'inauguration du siège social de l'OIPQ, situé au 710, rue de la Grande-Allée à Québec, a lieu le 15 avril 1964, avec comme invité d'honneur nul autre que M. Jean Lesage, Premier ministre du Québec, accompagné du chef de l'opposition, M. Daniel Johnson, ainsi que d'une forte représentation tant de l'exécutif gouvernemental que de la haute direction administrative.

Au début du mois de mai, Gaëtan Major quitte la direction de l'Office et y est remplacé par Hubert Potvin.

Puis, en juillet et août, l'Office engage 113 nouveaux employés. Le recrutement s'est effectué très rapidement quoiqu'il ait en réalité débuté, avec la complicité du Service de sélection de la Commission du service civil, dès novembre 1963.

En janvier 1965, Roch Pérusse dépose à la Commission du service civil son rapport sur l'organisation des bureaux de l'information dans les ministères[79]. Bien que les cinq premières sections s'inspirent du Rapport Montpetit-Pérusse du 9 octobre 1963, les autres sections du document jettent un nouvel éclairage sur l'état de l'information gouvernementale durant cette période.

Ce rapport établit pour la première fois une distinction entre l'attaché de presse du ministre et le directeur de l'information.

L'auteur constate d'ailleurs que dans certains ministères ces deux fonctions sont remplies par un seul titulaire.

Ce premier exercice, consistant à tracer une frontière entre l'exécutif et l'administration sur la base de leurs pouvoirs respectifs dans le domaine de l'information, conduit Pérusse à identifier clairement les deux fonctions.

En guise de conclusion, Pérusse constate que l'information gouvernementale, qualifiée d'officielle à l'époque, est incomprise dans les ministères, que la coordination de l'information est inexistante, que le personnel spécialisé est en nombre insuffisant, que la confusion règne quant à l'attribution des tâches rela-

79 Roch Pérusse, *Rapport à la Commission du service civil concernant l'organisation des bureaux de l'information dans les ministères*, Commission du service civil, 25 janvier 1965.

tives à l'information, que le rôle de l'OIPQ est incompris et que l'ambiguïté persiste concernant le rôle de l'attaché de presse et du directeur de l'information.

Le 26 mars 1965, une crise éclate à l'OIPQ. Le secrétaire de la province, Bona Arseneault, ainsi que le sous-secrétaire adjoint suppléant, René Montpetit, sont accusés d'ingérence politique dans les opérations de l'OIPQ. Les accusations proviennent de MM. Hubert Potvin et Jean Girard, respectivement directeur de l'Office et directeur du Service de documentation. L'incident s'est produit lorsque Bona Arseneault a voulu faire transmettre par l'OIPQ un communiqué de presse comptabilisant les périodes occupées en Chambre par les députés du Parti libéral et de l'Union nationale. Les accusations furent lancées en pleine conférence de presse par les deux fonctionnaires[80].

À la suite de la recommandation de la Commission du service civil, le congédiement de MM. Girard et Potvin est entériné par le Conseil des ministres le 6 avril 1965.

En juin de la même année, le secrétaire de la province dépose un premier rapport annuel sur l'OIPQ, rapport qui maquille la réalité qui sévit alors à l'Office et dans les ministères.

Rappelons que le Rapport Pérusse du 25 janvier 1965 avait déjà fait état de la présence d'un malaise dans les ministères relativement à la méconnaissance de l'information gouvernementale et à l'incompréhension prévalant chez les fonctionnaires à l'égard du rôle de l'OIPQ. De plus, deux hauts fonctionnaires de l'Office avaient été congédiés pour avoir dénoncé l'ingérence de l'exécutif dans leur travail. Enfin, le 17 mai 1965, une note de service de Paul-Olivier Lalonde, chef de la rédaction, à Claude Paulette, nouveau directeur de l'Office, affirme que l'Office ne joue pas le rôle qu'il devrait jouer[81].

Dans son rapport annuel, toutefois, le secrétaire de la province passe sous silence la portée de ces événements:

> *Au cours de sa première année d'opération, l'Office peut tout de même compter bon nombre de réalisations à son actif. Il les doit non seulement à l'efficacité de ses structures et au travail de son personnel, mais encore à la coopération de tous les ministères et organismes gouvernementaux*[82].

80 *Rapport sur les communications du gouvernement du Québec*, volume I, *op. cit.*, p. 28.

81 *Annexes au Rapport sur les communications*, vol. 1 et 2, annexe IV, p. 1.

82 *Rapport annuel du Secrétariat de la province*, *op. cit.*, p. 59.

Pourtant, à la suite de ces événements, l'exécutif semble avoir perdu confiance dans l'OIPQ. En effet, lorsque l'Office a été mis sur pied à l'hiver 1964, le Service des impressions du Secrétariat de la province a été placé sous sa juridiction pour devenir ensuite la Division des publications. Le 1er février 1966, on retire à l'OIPQ sa juridiction sur les publications pour la confier à l'Imprimeur de la Reine.

Le 15 mars 1966, Claude Paulette, directeur de l'OIPQ, est muté au poste de directeur de l'information au ministère des Affaires culturelles.

Pour sa part, René Montpetit perd son poste et son titre de sous-secrétaire adjoint suppléant pour retourner au ministère de l'Éducation.

5

Le marketing gouvernemental de l'Union nationale, 1966-1970

Le 5 juin 1966, l'Union nationale remporte une victoire électorale en faisant élire 56 députés. C'est alors que le nouveau Premier ministre élu, Daniel Johnson, demande à Lorenzo Paré: «Que devrait être l'Office? Qu'est-ce qu'il est actuellement? Que faire?»[83].

En juillet 1966, les effectifs de l'OIPQ ont fondu: de 117 personnes en mars 1965, à 29 à l'été 1966. Durant cette période, le successeur de Claude Paulette à la tête de l'Office, Lorenzo Paré, établit à la demande du Premier ministre du Québec un mémoire, accompagné de certaines recommandations, sur la situation qui prévaut à l'OIPQ. Selon Paré: «L'Office est né comme un géant et il est devenu un nain qui cherche sa voie. [...] Tel qu'il est, l'Office ne mérite pas de vivre. Son extinction en cours doit être achevée au plus tôt»[84].

83 *Annexes au Rapport sur les communications du gouvernement du Québec,* volumes I et II, annexe V, Lorenzo Paré, *Notes pour l'Honorable M. Johnson sur l'Office de l'information,* 1966, p. 1.

84 *Ibid.,* p. 2.

Il soutient que le Rapport Montpetit-Pérusse adopté par le Conseil des ministres en octobre 1963 était valable: «Je reste convaincu que les structures adoptées en 1963 étaient logiques en théorie et réalisables en pratique»[85].

Selon lui, la cause de l'échec réside dans l'absence d'une coordination centrale des opérations d'information et de publicité de tous les ministères par l'OIPQ. «Chaque organe a suivi sa tendance à se développer isolément, avec les duplications coûteuses et le manque de synchronisation effective qu'une telle situation entraîne.»[86]

Il constate qu'à l'exception du Service de la publicité et de celui de la rédaction, qui est doté d'un personnel démoralisé, indiscipliné et médiocre, tous les Services sont inopérants.

Afin de remédier à cette situation, Paré recommande la constitution d'une équipe d'élite qui agirait à la fois comme conseiller et concepteur de l'information officielle produite par les ministères:

> *Ces agents pourraient servir, non seulement de conseillers, mais comme animateurs, à la fois* penseurs *et aiguillons, auprès des services d'information des ministères qui demeureront dans les structures actuelles, les principales, sinon les seules sources de l'information officielle du gouvernement; une sorte de* Brain-Trust *de l'information, en somme*[87].

D'ailleurs, Paré met en relief le besoin que devrait éprouver l'exécutif gouvernemental de définir une politique de l'information s'il désire que les fonctionnaires s'y conforment.

En ce qui concerne l'administration, l'auteur constate que, si la liste du personnel affecté à ce Service comprend dix noms, dans la réalité il n'est constitué que de deux commis. Sur papier, le Service de la documentation compte lui aussi dix employés; dans les faits, deux seulement sont affectés à la rédaction, le reste étant des employés de soutien.

85 *Ibid.*, p. 4.
86 *Ibid.*
87 *Ibid.*, p. 8-9.

Paré sera le premier à suggérer que le Service de la documentation de l'Office soit orienté vers la publication d'une revue de presse afin d'informer quotidiennement l'exécutif gouvernemental sur l'évolution de l'opinion publique.

En matière de publicité par contre, le Service fonctionne normalement, selon Paré, qui signale que ses faiblesses majeures résident surtout dans l'absence de méthodes administratives en ce qui a trait à l'octroi et à la gestion des contrats de publicité; en effet, ce sont les agences elles-mêmes qui assument cette responsabilité ce qui crée un sérieux problème d'imputabilité. L'auteur souligne qu'une importante portion de l'assiette budgétaire de la publicité de l'Office est consacrée aux appels d'offres par voie de concours, et que la gestion de ce type de placement publicitaire est effectuée par les agences et non par l'État. Enfin, Paré propose que la publicité réalisée par l'OIPQ soit orientée vers l'éducation populaire et diffusée par tous les moyens possibles. Sur le plan de l'information, Paré constate que depuis que les Services de la polycopie, des publications et de l'expédition sont tombés sous la responsabilité de l'Imprimeur de la Reine, l'Office est aux prises avec un problème de crédibilité au sein des ministères; en effet, ceux-ci acheminent eux-mêmes leurs communiqués et produisent leurs publications sans passer par l'Office, contribuant ainsi à l'affaiblir de plus en plus. Selon lui, ces Services doivent être redonnés à l'OIPQ et organisés dans le cadre d'une politique ordonnée d'information gouvernementale.

La présence du Québec à l'étranger constituait une priorité pour Daniel Johnson. À ce chapitre, l'auteur du mémoire recommande au Premier ministre d'accroître le niveau de coopération entre l'Office et les agents d'information dans les maisons du Québec à l'étranger et d'affecter le budget de 50 000 $ destiné à l'accueil des journalistes et des visiteurs étrangers à des activités prestigieuses d'accompagnement sur le territoire québécois dans le cadre d'*Expo 67*.

Paré recommande aussi au Premier ministre de créer un bureau d'information à Ottawa qui serait chargé de transmettre l'information en provenance du Québec aux autres provinces, et d'agir ainsi comme centre de documentation et de liaison. Qui plus est, Paré demande au Premier ministre de lui accorder ce nouveau poste à Ottawa, qu'il occupera d'ailleurs quelques mois plus tard.

Notons au passage l'étroite relation entre l'auteur et l'Union nationale: «Personnellement, j'ai un peu joué ce rôle sous M. Duplessis, malgré son peu de goût pour la *paperasserie* à une époque où la *paperasse* était moins nécessaire»[88].

Bien que les recommandations finales du Rapport Paré soient plutôt liées à des impératifs à court terme, certaines méritent d'être citées car elles apparaissent pour la première fois dans un document gouvernemental. Ainsi, il est recommandé qu'un inventaire des effectifs de l'information dans les ministères et organismes gouvernementaux soit effectué, le dernier remonte à 1964; que la revue de presse réclamée par M. Johnson soit mise sur pied dans les plus brefs délais; que les Services d'information gouvernementaux, incluant ceux de l'OIPQ, soutiennent l'exécutif gouvernemental dans sa mission d'information de la population:

> *L'Office peut et doit collaborer à cette fonction des députés: tous les partis peuvent s'en prévaloir, puisqu'il s'agit là d'une éducation positive de l'opinion publique — une éducation permanente — et non une campagne électorale. J'irais même jusqu'à soutenir que l'État devrait posséder sous une forme ou sous une autre son organe de presse*[89].

Paré fonde ces recommandations sur deux motifs: la décadence quantitative et qualitative de la presse canadienne française et la faible popularité de l'État.

Les propos de M. Paré nous incitent à croire qu'en 1966 la séparation des pouvoirs entre l'exécutif et l'administration était encore mince en matière d'information gouvernementale.

Le 20 juillet 1966, il est ordonné, sur proposition du Premier ministre, que l'OIPQ, y compris son personnel administratif, soit transféré du contrôle du secrétaire de la province à celui du Premier ministre, qui préside le Conseil exécutif.

Un tel exercice témoigne de la volonté réelle de l'exécutif gouvernemental de centraliser l'information gouvernementale.

En septembre de la même année, le Premier ministre du Québec mandate la firme Inter-Média Inc., dont les actionnaires sont MM. Jean Loiselle et Paul Gros D'Aillon, pour faire une

88 *Ibid.*, p. 26.
89 *Ibid.*, p. 33.

étude visant à vérifier si le gouvernement québécois dispose de moyens d'information qui répondent aux besoins d'un État moderne[90].

Le 28 septembre 1966, Gros D'Aillon et Loiselle déposent un rapport préliminaire au bureau du Premier ministre: ils y recommandent d'ouvrir, dans les plus brefs délais, un bureau d'information du Québec à Ottawa et d'y affecter Lorenzo Paré. Ce sera fait dès le début d'octobre.

Les autres parties du rapport concernent les relations avec la presse, l'organisation des cadres supérieurs de l'OIPQ, la situation qui prévaut dans les ministères, l'évolution de l'information gouvernementale au Québec, l'utilisation des médias électroniques, des relations publiques, du personnel de l'information dans les ministères, des attachés de presse et des budgets associés à l'information dans les ministères. Elles ont été présentées, selon Jean Loiselle, les unes après les autres, sur une période indéterminée.

La durée de réalisation de ce rapport reste également indéterminée; aucune date n'y apparaissant lorsqu'il a été transmis à la bibliothèque de la Législature près de 4 ans plus tard, le 8 mai 1970, par le bureau du Premier ministre ou par le Conseil exécutif, on l'ignore.

Les conclusions et les 59 recommandations du Rapport Loiselle-Gros D'Aillon en font une œuvre maîtresse en matière d'inventaire et d'orientation de l'information gouvernementale pour la période 1966 à 1970 au Québec, d'autant plus que la plupart de ces recommandations ont en fait été entérinées par le Premier ministre et l'exécutif gouvernemental.

Avant d'aborder les recommandations proprement dites, jetons un coup d'œil aux conclusions. Les auteurs y définissent ainsi les objectifs de l'information officielle:

> *Informer la population de toutes les décisions gouvernementales, attirer l'attention du citoyen sur des objectifs de bien commun tels les campagnes de sécurité routière et de promotion industrielle; appuyer des objectifs administratifs tels la vente de bons du Trésor et favoriser une plus grande participation de toutes les couches de la population à la vie politique de la nation*[91].

90 *Rapport sur les communications du gouvernement du Québec*, volume I, Lettre de l'Honorable Daniel Johnson, Premier ministre du Québec, adressée à Jean Loiselle le 7 septembre 1966; *op. cit.*, p. 1.

91 *Rapport sur les communications du gouvernement du Québec*, volume II, *op. cit.*, p. 2.

Cette préoccupation des auteurs témoigne de l'importance qu'ils accordent à l'information officielle (ou gouvernementale) en tant qu'outil de marketing de l'exécutif gouvernemental.

De plus, les premières manifestations concrètes d'un marketing des services gouvernementaux apparaissent dans les second et troisième objectifs de la citation précédente.

Enfin, le concept de culture politique est utilisé pour la première fois au Québec dans un rapport officiel comme défense contre une accusation possible de propagande:

> *L'information officielle contribuera directement à la création d'une nouvelle forme de culture politique. Nous sommes loin de la vulgaire propagande partisane. Mieux encore, nous croyons que cette forme nouvelle de culture politique — et dans la mesure même où elle sera dynamique — donnera leur coup de mort à la propagande et à ses tenants*[92].

Nous percevons ici le besoin qu'éprouvent les auteurs de légitimer l'information officielle en la justifiant par des énoncés de principe. D'ailleurs, l'extrait suivant confirme cette tendance:

> *De notre rapport se dégage un certain nombre de suggestions et de recommandations. Les unes ont un caractère technique très prononcé. D'autres sont d'une nature beaucoup plus philosophique. Dans ce dernier cas, cependant, nous avons toujours veillé à ce qu'elles s'inscrivent dans la ligne de pensée visant la création de la culture politique*[93].

En ce qui concerne les recommandations déjà appliquées lors de la remise du rapport, celles concernant 1) le rattachement de l'OIPQ au Conseil exécutif, 2) le regroupement sous l'autorité de l'Office de tous les directeurs et agents d'information 3) l'administration des canaux de diffusion de l'information et de la publicité des ministères par l'Office, 4) l'intégration des objectifs particuliers de chaque campagne aux objectifs généraux du gouvernement, elles sont autant de mesures destinées à centraliser et à coordonner l'information et la publicité gouvernementales dans le cadre d'une approche de gestion du marketing.

92 *Ibid.*
93 *Ibid.*, p. 3.

De plus, la recommandation 10, qui veut que le gouvernement continue de recourir aux services des agences professionnelles de publicité plutôt que de créer sa propre agence, est appliquée bien avant le dépôt du rapport final. En effet, le 24 novembre 1966, *Le Devoir* annonce que la publicité du gouvernement québécois est confiée à SOPEQ, filiale de *Young & Rubicam* de Toronto et New York, incorporée le 23 septembre 1966 et présidée par M. Gaby Lalande. C'est d'ailleurs cet homme qui était responsable de la publicité de l'Union nationale lors de la campagne électorale de mai 1966. Jean Loiselle et Paul Gros D'Aillon avaient travaillé en étroite collaboration avec M. Lalande afin de concevoir et réaliser la publicité liée à cette campagne électorale. Jean Loiselle était alors conseiller spécial de Daniel Johnson et Paul Gros D'Aillon, directeur de l'information du quotidien unioniste *Montréal Matin*. Nous reviendrons plus loin sur les rapports parti-gouvernement explicités par cette pratique et sur l'effet d'intégration du marketing des services gouvernementaux au marketing de l'exécutif gouvernemental qui en résulte.

Quant aux recommandations en voie d'application lors de la remise du rapport, celle visant le regroupement des budgets de publicité et d'information des ministères sous l'autorité de l'OIPQ est sans aucun doute la plus importante. Au dire de Jean Loiselle, l'application de cette recommandation constitue sa plus grande victoire compte tenu de son impact sur l'orientation de l'information et de la publicité gouvernementales pour la période 1966 à 1970[94]. La centralisation des budgets d'information et de publicité de chaque ministère par l'Office témoigne en effet d'une volonté inébranlable de l'exécutif de contrôler entièrement l'information et la publicité gouvernementales.

Les recommandations encore à l'étude au moment du dépôt du rapport recèlent dans leur contenu respectif les notions de coordination, d'étude de marché, de contrôle et de distribution de l'information et de la publicité gouvernementales qui sont l'apanage d'une certaine pratique de gestion de l'activité marketing et, particulièrement, la gestion de trois de ses variables opératoires (*marketing mix*) : le produit que constituent les services gouvernementaux et les réalisations de l'exécutif gouvernemental, leur distribution par le biais des services techniques de diffusion (TELBEC par exemple) et leur promotion par la voie des médias de masse et la stratégie qu'elle impose.

94 *Entrevue avec M. Jean Loiselle,* Montréal, 3 décembre 1986.

D'autres recommandations traduisent une prise de contrôle réelle de l'information et de la publicité gouvernementales par l'exécutif. Si bien qu'en février 1967, Cyrille Felteau écrit dans *La Presse:*

> *C'est ainsi qu'en pleine crise scolaire, les services de diffusion d'une agence privée (loués par le gouvernement au prix de $ 4 830 par mois) transmettent à tous les organes d'information de la province des extraits du discours du ministre de l'Éducation, un appel conjoint aux enseignants de la part de six députés UN, où l'élément information disparaît quasi totalement dans le bouillon de la propagande à sens unique. Les explications tortueuses des fonctionnaires de l'OIPQ laissent subsister des doutes sur le processus et les mobiles de cette opération à forte teinte partisane*[95].

Lors de l'étude des crédits de l'OIPQ à l'Assemblée législative, le 27 juin 1967, l'opposition libérale par la voix de Yves Michaud souligne la confusion entre les mandats gouvernementaux et les mandats politiques effectués par Intermédia pour le compte de l'exécutif gouvernemental. Elle accuse Loiselle et Gros D'Aillon d'avoir interviewé des directeurs de journaux de France concernant l'attitude de leur gouvernement à l'égard du gouvernement de l'Union nationale, dans le cadre de leur étude sur les communications gouvernementales. Le Premier ministre rétorque à Michaud qu'il s'agit là d'un mandat différent qui ne vient pas du gouvernement mais du parti.

Le débat qui s'ensuit démontre l'ambiguïté qui prévaut dans la réalisation des mandats donnés à Intermédia simultanément par le gouvernement et par le parti.

> *M. Michaud: Ils voyagent aux frais du parti, j'imagine! Les mêmes qui vous soumettent un rapport sur l'information gouvernementale.*
> *M. Johnson: Disons que c'est plus difficile de les payer dans ce cas-là que lorsqu'ils sont payés par le gouvernement, mais nous prenons bien garde de ne pas mêler les deux fonctions*[96].

Durant ce débat, l'opposition insiste sur la relation qui existe entre Intermédia et la firme de publicité SOPEC qui réalise les contrats de publicité du gouvernement.

95 Cyrille Felteau, «Dans l'optique du pouvoir», *La Presse,* 15 février 1967. p. 4.

96 *Débats de l'Assemblée législative du Québec*, Première session - 28e législature, mardi 27 juin 1967, vol. 5, n° 87, p. 4598.

Selon Jean Loiselle[97], le comité informel sur les communications du gouvernement du Québec est composé, durant cette période, de Roger Cyr, directeur général de l'OIPQ, Jean Lenoir, de l'Office, Jean Loiselle, maintenant chef de Cabinet du Premier ministre, Gaby Lalande, président de SOPEC et Paul Gros D'Aillon, rédacteur en chef du quotidien *Montréal Matin* et relationniste de l'Union nationale. Cyr est un spécialiste de l'information, Lenoir et Gros D'Aillon des spécialistes de la presse écrite, Lalande un spécialiste de la publicité, et Loiselle un spécialiste de la presse électronique. Ce comité étant constitué de représentants de l'exécutif gouvernemental, de fonctionnaires et de propagandistes du parti au pouvoir, le fruit de son travail peut difficilement être exempt de partisanerie.

Dans un tel contexte, les pouvoirs respectifs de l'exécutif et de l'administration deviennent difficiles à circonscrire.

Après que l'opposition a eu mis au jour l'utilisation, par le parti au pouvoir, de l'information et de la publicité gouvernementales pour la promotion de projets de loi non sanctionnés par l'Assemblée législative, le Premier ministre Johnson s'est vu forcé de reconnaître que la ligne de démarcation entre la propagande partisane et la publicité gouvernementale était assez floue.

À l'été 1968, l'opposition libérale s'attaque au gouvernement réclamant la publication du rapport d'Intermédia pour lequel le Conseil du Trésor a déjà voté une somme de 10 000 $. Le Premier ministre refuse de le déposer. Les rôles gouvernementaux et politiques de MM. Cyr, Gros D'Aillon et Loiselle, de même que les contrats qui leur ont été octroyés, sont remis en question par l'opposition, particulièrement par le député libéral Michaud:

> *Bon, vous avez versé $ 22 244,08 à la firme Intermédia, soit à MM. Loiselle et Gros D'Aillon pour la visite du Général de Gaulle, M. Loiselle et M. Gros D'Aillon touchent également $ 6 250 du ministère de la Santé, $ 11 425 du ministère de l'Éducation, $ 2 100 du ministère des Finances et la firme Intermédia a reçu l'année dernière $ 10 000 pour un total de $ 54 019. Est-ce que je serais à ce point indécent si je demande au Premier ministre où est allé cet argent?*[98]

Monsieur Johnson s'abstiendra de répondre.

97 *Entrevue avec M. Jean Loiselle, op. cit.*

98 *Débats de l'Assemblée législative, op. cit.*, p. 4590.

Une année s'écoule lorsque, le 9 mai 1969, le scandale éclate par la voie d'un article dans *La Presse*, signé par le journaliste Gilles Racine. Ce dernier reproche à Lalande et Gros D'Aillon de s'emparer de certains postes clés dans le domaine de l'information et de la publicité gouvernementales, et à Lalande d'exercer un monopole sur la publicité gouvernementale, qu'il contrôle par l'intermédiaire de SOPEC détenteur de la presque totalité des contrats de publicité du gouvernement.

Racine souligne l'étroit lien politique et professionnel qui existe entre Lalande, Loiselle, Gros D'Aillon et Cyr.

Le journaliste fait état des contrats de SOPEC avec Radio-Québec qui dépassent les 100 000 $, de la somme de 400 000 $ qu'a reçue cette dernière le 18 mars 1969 du gouvernement québécois pour la campagne de publicité «Québec sait faire». Il fait également référence à ces honoraires de 54 019 $ versés à Intermédia.

Au même moment, le 22 mai 1969, Michaud réclame à l'Assemblée nationale la mise sur pied d'une commission d'enquête sur les problèmes de l'État en matière d'information et la suppression immédiate de la juridiction du bureau du Premier ministre et du Conseil exécutif sur l'OIPQ[99].

De plus, le député libéral insiste sur la nécessité de briser le monopole de SOPEC sur l'information et la publicité gouvernementales puisque, selon lui, une telle situation crée dans l'opinion publique un état de suspicion.

Le 28 mai 1969, le *Journal des débats* contient, en guise de réplique, des lettres des principaux acteurs évoqués dans l'article de Racine, c'est-à-dire Loiselle, Gros D'Aillon, Cyr, et Lalande. Leur contenu n'apporte que des correctifs mineurs qui ne contredisent pas dans l'ensemble la véracité des propos du journaliste.

À la même date, le chef de l'opposition libérale, Jean Lesage, réclame à l'Assemblée nationale la tenue d'une commission parlementaire afin d'interroger les principaux responsables de l'information gouvernementale impliqués dans la controverse soulevée par Racine. Le Premier ministre, Jean-Jacques Bertrand, ne donne pas suite à cette requête.

99 *Débats de l'Assemblée nationale du Québec*, Quatrième session — 28e législature, 22 mai 1969, vol. 8, nº 43, p. 1912-1914.

En 1968-1969, le budget de l'OIPQ s'élève à 5 683 000 $, en 1969-1970, à 5 250 000 $. Ces sommes excluent le budget des campagnes d'information qui atteignait 900 000 $ en 1968-1969.

À l'automne 1969, le gouvernement substitue une nouvelle loi à celle de 1945 afin de constituer Radio-Québec, qui devient ainsi responsable de la coordination et de la production d'émissions à des fins éducatives pour les ministères et Services du gouvernement.

Cependant, le nouvel organisme n'a pas eu à réaliser ce mandat en raison de la création du ministère des Communications en décembre 1969.

Le budget de Radio-Québec (ORTQ) s'élevait à 5 095 000 $ pour l'année financière 1968-1969 et à 7 000 000 $ pour 1969-1970. L'opposition libérale et la presse s'attarderont à critiquer les contrats que Radio-Québec accorde à SOPEQ.

Le 12 décembre 1969, donc, le ministère des Communications est créé. Ses fonctions répondent avant tout au besoin de la province d'affirmer sa compétence constitutionnelle en matière de télécommunication.

La période 1966 à 1970 est la plus fertile jusqu'alors en matière de développement de l'information et de la publicité gouvernementales d'une part, et de contrôle de l'exécutif gouvernemental sur ces deux activités d'autre part. La réalisation par SOPEQ de la campagne publicitaire «Québec sait faire» pour le compte de l'OIPQ et du ministère de l'Industrie et du Commerce constitue un exemple type d'intégration du marketing des services gouvernementaux à celui de l'exécutif gouvernemental en ayant comme objectif de développer le nationalisme économique des Québécois et leur fierté nationale dans une conjoncture politique nationaliste. Cependant, un phénomène de surexposition de l'exécutif gouvernemental dans les médias, associé à une diffusion de messages répétitifs et trop abondants, a soulevé l'ire de l'opposition, de la presse et de la population.

6

Le marketing sous Bourassa (I), 1970-1976

Le Parti libéral de Robert Bourassa est porté au pouvoir le 29 avril 1970. Le 22 mai, le nouveau ministre des Communications, Jean-Paul L'Allier, déclare que son ministère doit appuyer et compléter les autres.

Le 7 avril 1971, la Direction générale des communications gouvernementales est créée au sein du ministère des Communications[100]. La DGCG succède à l'OIPQ qui y est intégré dans un premier temps pour être appelé à disparaître quelques mois plus tard.

Les responsabilités de la DGCG sont de coordonner et d'assister les ministères dans la mise sur pied de leur propre Direction des communications, regroupant ainsi chez eux les moyens de communication nécessaires à leur autonomie. Dans un deuxième temps, la nouvelle Direction doit mettre sur pied, dans chacune des régions administratives, des centres d'information sous la responsabilité d'une Direction régionale des communications, afin d'élargir l'accès à l'information gouvernementale.

100 *Arrêté en conseil #1388*, 7 avril 1971.

En mai 1971, le ministre des Communications dépose à l'Assemblée nationale un document de travail qui vise à élaborer une politique globale en matière de communications.

Au chapitre de l'information et de la publicité gouvernementales, ce document reprend les objectifs de rationalisation et de coordination développés dans les rapports gouvernementaux précédents. Afin d'atteindre ces objectifs, le rapport propose de regrouper les services et les moyens de communication de l'État sous l'égide du ministère des Communications, à l'intérieur de ses nouvelles structures. Ces services sont les Directions générales de l'administration du génie, de l'exploitation, de l'édition gouvernementale et de la recherche. Le document accorde également beaucoup d'importance à la Direction générale des communications gouvernementales, chargée de mettre sur pied des Services de communications autonomes dans tous les ministères. Il insiste particulièrement sur la responsabilité des ministères à l'égard de leurs Directions des communications respectives.

Nous percevons ici les signes évidents d'une volonté de décentralisation réelle du pouvoir et non d'une simple déconcentration en matière d'information et de publicité gouvernementales. De plus, le rapport suggère de poursuivre les efforts de régionalisation et de rétroaction de l'information gouvernementale, ainsi que les expériences de circulation d'unités mobiles d'information en région, entrepris sous l'OIPQ.

Hormis l'information et la publicité gouvernementales, le rapport s'intéresse aux télécommunications en raison d'une présence accrue de l'État fédéral en matière d'attribution et de réglementation des fréquences de câblodiffusion et de radiotélédiffusion.

Les 27 et 29 novembre 1971, *Le Devoir* reproduit deux articles que Laurent Laplante avait écrits dans la revue *Média* relativement à l'information gouvernementale, sujet qui lui était familier en tant qu'ex-directeur général de l'OIPQ. Laplante voit d'un mauvais œil l'abrogation des dispositions législatives à l'égard de l'OIPQ que recèle le projet de loi 37 qui a pour but d'accroître les pouvoirs du ministre des Communications relativement à la coordination, la production, l'acquisition et la diffusion de documents audiovisuels par l'État québécois. Ajoutons que les projets de loi 35 et 36 ont été déposés à l'Assemblée nationale en même temps que le projet de loi 37: le premier vise à attribuer à la

Régie des services publics un droit de regard sur les entreprises de communication relevant du gouvernement québécois; le second est destiné à modifier les structures de l'Office de radio-télévision du Québec (ORTQ), c'est-à-dire Radio-Québec.

Le journaliste constate l'hypocrisie des acteurs politiques qui, bien que réclamant la séparation de l'information gouvernementale des activités partisanes, en font fi dans l'exercice du pouvoir:

> *Le bref régime Bertrand excepté, aucun des ministres responsables de l'information gouvernementale n'a hésité jusqu'à maintenant à balayer d'un revers de main soit une équipe soit une orientation soit un organisme soit un budget* [101].

Une telle affirmation d'un praticien chevronné confirme le degré de politisation qui a envahi l'information et la publicité gouvernementales depuis ses débuts au Québec.

Laplante note aussi avec perspicacité le peu d'intérêt qu'accorde le gouvernement libéral de Robert Bourassa à l'information gouvernementale:

> *Les stratèges libéraux, le démocratique Paul Desrochers en tête, ont ravalé l'information gouvernementale au rang de sous-service. Tous les tataouinages du monde ne feront pas disparaître ce fait: il y a moins de deux ans, le directeur de l'OIPQ discutait directement avec le Premier ministre, sans intermédiaire aucun, tandis que l'hypothétique Gilles Loiselle, s'il devient en mars prochain responsable de l'information gouvernementale, devra discuter avec Julien Aubert qui en référera à Gilles Bergeron qui donnera son point de vue à Jean-Paul L'Allier qui obtiendra un rendez-vous avec Robert Bourassa si Charles Denis et Paul Desrochers le veulent bien*[102].

Enfin, l'auteur croit que l'OIPQ devrait survivre et que ses responsables devraient rendre compte de leurs activités à une commission parlementaire, comme l'avaient préconisé quelques années plus tôt le critique libéral Yves Michaud et le chef de l'opposition d'alors, Jean Lesage.

101 Laurent Laplante, «L'Information gouvernementale, 1- Un mariage de raison farfelu», *Le Devoir*, 27 novembre 1971, p. 4.

102 Laurent Laplante, «L'Information gouvernementale, 2- Un personnel domestiqué», *Le Devoir*, 29 novembre 1971, p. 4.

Le journaliste et ex-directeur de l'OIPQ est convaincu que la création d'une Direction des communications dans chacun des ministères va contribuer à accentuer le phénomène d'asservissement de l'information à la propagande par le biais du Cabinet du ministre et de son personnel politique.

Le 29 novembre, Laplante, en tant qu'éditorialiste, met en garde le gouvernement contre la tentation de faire du projet de loi 35 un outil partisan en régissant tous les instruments de communication sur son territoire. En effet, le contrôle sur la Régie des communications dont s'empare l'exécutif gouvernemental dans le projet de loi est énorme.

Selon lui, le projet de loi 36 aura un effet semblable. Il favorise en effet un contrôle absolu de l'exécutif gouvernemental sur le conseil d'administration de Radio-Québec qui comptait alors cinq membres, dont trois représentants de la fonction publique.

D'ailleurs, une des trois conditions posées par le ministre fédéral des Communications, Gérard Pelletier, avant de consentir à accorder aux provinces des permis d'exploitation de postes de radio-télévision, était la garantie de l'autonomie de la station par rapport à l'exécutif gouvernemental provincial.

Le 6 décembre 1971, Laplante découvre des comportements partisans à l'égard de l'information et de la publicité gouvernementales lors de la tenue du récent congrès du Parti libéral provincial. Il constate que Jean-Paul L'Allier a été l'objet d'attaques violentes de la part de Guy Morin, Ben Payeur et Pierre Lortie, membres du personnel politique, lui reprochant de mal orienter son ministère.

MM. Morin, Payeur et Lortie estiment que le ministre des Communications aurait dû fermer Radio-Québec et remettre à chacun des ministres une portion de l'ancien OIPQ. De tels propos incitent à penser que l'exécutif gouvernemental favorise une décentralisation de l'information et de la publicité, en raison de leur crainte de Radio-Québec et d'une coordination de l'information gouvernementale telle que pratiquée par l'administration précédente.

Le 11 février 1972, Gilles Lesage commente les propos qu'a tenus le ministre des Communications devant la presse et les étudiants en journalisme à l'Université Laval[103]. M. L'Allier se dit insatisfait des réalisations à long terme qu'il s'est fixées en matière d'information gouvernementale. Selon lui, les fonctionnaires et l'exécutif gouvernemental, tout comme le personnel issu de l'ancien OIPQ, perçoivent l'information gouvernementale en termes de communiqués et de nouvelles, ce qui n'est pas conforme aux priorités du ministre des Communications. Enfin, M. L'Allier souligne que le processus de décentralisation de la Direction des communications vers les ministères est entamé.

Cependant, l'abolition de l'OIPQ, qui relevait du Conseil exécutif, et le processus de décentralisation de l'information gouvernementale vers les ministères ont favorisé le développement d'un système d'information très structuré au sein du bureau du Premier ministre.

Le 23 février 1972, à la requête de Claude Trudel, chef de Cabinet adjoint du Premier ministre, Charles Denis, responsable de l'information au bureau du Premier ministre et au Conseil exécutif, transmet un document portant sur la description de ses tâches, document qui permettra de connaître l'ampleur de l'organisation de l'activité d'information au bureau du Premier ministre[104].

Le fait que Denis cumule les fonctions de directeur de l'information au Cabinet du Premier ministre ainsi qu'au ministère du Conseil exécutif indique déjà l'influence de l'exécutif gouvernemental sur l'administration publique relativement aux fonctions d'information.

Denis répartit ses activités en cinq catégories: l'information, la rétroinformation, la coordination, «l'activité de conseil» et l'administration. Ses tâches pour chaque catégorie se répartissent comme suit:

L'information comprend la coordination et la préparation de textes destinés aux médias, l'organisation d'émissions de radio et de télévision, la diffusion de communiqués émanant à la

103 Gilles Lesage, «Le gouvernement à ses divers paliers ne saisit pas encore l'importance des communications dans la prise de décision», *Le Devoir*, 11 février 1972, p. 2.

104 Cabinet du Premier ministre, province de Québec, Mémo pour M. Claude Trudel de Charles Denis, *OBJET: description de mes tâches*, 23 février 1972, 3 pages.

fois du bureau du Premier ministre et du Conseil exécutif, la production, l'impression et la distribution de livres, de discours et de brochures gouvernementales. Denis est aussi responsable de rassembler l'information régionale dont pourraient avoir besoin les députés.

La rétroinformation vers le Cabinet et le Conseil exécutif comporte: un service de coupures et d'archives de presse auquel plusieurs ministères font appel; un système d'abonnements aux journaux, revues et publications requis par le Conseil exécutif; la mise à jour constante de la liste «Direction des ministères»; la revue de presse quotidienne ainsi que l'écoute, l'enregistrement et l'analyse magnétoscopiques des journaux radiodiffusés et télévisés.

La coordination, elle, comprend les rencontres hebdomadaires entre Denis et les attachés de presse de tous les ministres, ainsi qu'une participation à la Commission d'information du Parti libéral du Québec où Denis, en tant que représentant du Premier ministre, sert de liaison constante avec le responsable du parti, Claude Péloquin.

Par «activité de conseil», Denis entend la fonction de conseiller le Premier ministre en matière d'information quotidienne et de communications provenant des organismes sous sa responsabilité (ministère des Communications, Radio-Québec, Office du film du Québec, etc.), du gouvernement fédéral (CRTC, ministère des Communications, satellites, câbles, etc.) et des radiodiffuseurs et télédiffuseurs privés. Charles Denis fournit aussi cette assistance aux ministres du Cabinet, au personnel politique ainsi qu'aux fonctionnaires.

L'activité d'administration, quant à elle, consiste à préparer et contrôler le budget du service de presse.

La description de tâches qui apparaît dans ce document confirme la tendance identifiée plus tôt par Laurent Laplante d'utiliser le personnel politique afin de contrôler et diffuser l'information politique et gouvernementale provenant de l'exécutif. De plus, les cinq activités mentionnées dans ce document, en l'occurrence celles d'informer, de rétroinformer, de coordonner, de conseiller et d'administrer, témoignent de l'importance qu'accorde Denis à la gestion de l'information dans le cadre d'une approche marketing.

À l'été 1972, des modifications sont apportées au projet de loi 36 qui mettent en danger l'autonomie de Radio-Québec face à l'exécutif gouvernemental.

> *Des amendements au bill 36 stipulent que le conseil d'administration de Radio-Québec, formé de sept personnes, ne pourra compter plus de deux fonctionnaires. Le cabinet Bourassa nommera le président du conseil parmi ces sept personnes et le vice-président sera choisi par les membres du conseil d'administration*[105].

L'opposition est insatisfaite; elle réclame un statut complet d'autonomie pour Radio-Québec.

Le 23 novembre 1972, un communiqué émis par le bureau du Premier ministre annonce la nomination de M. Florian Rompré au poste de sous-ministre en titre au ministère des Communications.

M. Rompré était auparavant adjoint exécutif au bureau du Premier ministre. Il remplace deux sous-ministres très compétents en matière de communications, MM. Gilles Bergeron et Julien Aubert. D'une part, il semble que des dissensions sur la façon de traiter certains dossiers existaient entre M. Bergeron et le ministre des Communications. D'autre part, M. Rompré est considéré comme un ami du Premier ministre, ce qui incite à croire que cette nomination revêt un caractère aussi bien partisan qu'administratif.

Enfin, le 12 décembre 1972, les projets de loi 35, 36 et 37 sont adoptés par l'Assemblée nationale. La dissidence de l'opposition à l'égard du projet de loi 37 portait sur l'accroissement des pouvoirs du ministre des Communications en ce qui a trait à la coordination, la production, l'acquisition et la diffusion de documents audiovisuels.

Au même moment, Gilles Lesage de *La Presse* écrit un article choc qui porte le sous-titre suivant: «Québec — L'Information gouvernementale peut-elle éviter les pièges de la propagande et du favoritisme?»[106]

105 Presse canadienne, «L'Allier amende son projet de loi 36», *La Presse*, 30 juin 1972, p. A-10.

106 Gilles Lesage, «Douze questions au ministre L'Allier», *La Presse*, 14 décembre 1972, p. A-5.

Le journaliste pose douze questions au gouvernement dont les plus pertinentes touchent ces sujets: les contrats de publicité du gouvernement accordés à Pierre Tremblay et Associés (Guy Morin et Ben Payeur); la mise sur pied d'une commission parlementaire destinée à scruter l'information et la publicité gouvernementales; la méfiance du bureau du Premier ministre à l'égard du ministère des Communications en matière d'information; l'importance du budget d'information et de publicité d'Hydro-Québec ainsi que les normes qui distinguent l'information politique de l'information administrative.

Cet article témoigne des problèmes que suscite durant cette période la distance que prend l'exécutif gouvernemental à l'égard de l'administration en matière d'information gouvernementale.

Un mois plus tard, L'Allier réplique au journaliste de *La Presse*. Le ministre estime que l'on exagère les dangers de politisation de l'information qu'entraîne l'intégration des services compétents dans chacun des ministères.

Il ne croit pas que le réseau d'information et de communication du bureau du Premier ministre et du Conseil exécutif manque de confiance en lui ou en ses fonctionnaires. Aussi, selon lui, c'est de comparer le budget d'Hydro-Québec (6,4 millions de dollars) au budget trop peu élevé de l'État (10 millions de dollars) qui fait paraître le montant de 6,4 millions si faramineux. Quant aux attachés de presse qualifiés de «race hybride», L'Allier pense qu'ils sont nécessaires afin d'établir une distinction entre l'information administrative et l'information politique[107].

De plus, le 5 mars 1973, le ministre des Communications annonce la tenue d'une tournée d'information gouvernementale au Québec, intitulée «Informa-tour», sous la responsabilité de la Direction générale des communications gouvernementales. Ce projet permettra à cinq ministères, soit les Communications, les Transports, les Institutions financières, les Affaires sociales et la Justice, d'informer la population sur les services gouvernementaux offerts. Les autres objectifs d'«Informa-tour» sont de présenter Communication-Québec comme un service permanent

107 Gilles Lesage, «Québec veut accroître ses services d'information», *La Presse*, 20 janvier 1973, p. A-6.

de renseignements sur les organismes gouvernementaux, d'établir une présence continue du gouvernement auprès du public et d'obtenir une rétroaction[108].

Une telle initiative démontre clairement, pour la seconde fois depuis les recommandations du Rapport Loiselle-Gros D'Aillon et leurs applications par l'OIPQ avec les unités mobiles d'information, l'intention de réaliser un marketing des services gouvernementaux à but non lucratif auprès de la population.

À la lueur des critiques précédentes, le ministre L'Allier confie à *La Presse*, en mai 1973, qu'il veut créer un conseil consultatif de la publicité gouvernementale qui aurait, entre autres tâches, la responsabilité d'établir des normes d'attribution pour l'obtention des contrats de publicité du gouvernement.

> *«Je ne veux pas me retrouver en serre chaude avec trois sociétés qui ne veulent rien savoir des autres», a expliqué le ministre avec chaleur, dans une nette allusion aux critiques selon lesquelles le gouvernement Bourassa a privilégié trois entreprises amies (Pierre Tremblay, Inter-Canada et l'Agence canadienne de publicité) depuis trois ans*[109].

Hormis la propension qu'a l'exécutif gouvernemental durant cette période à ne pas faire appel à la fonction publique pour diffuser l'information gouvernementale, on remarque aussi qu'il concentre la publicité gouvernementale entre les mains de trois firmes. Un tel choix semble lié au besoin qu'éprouve l'exécutif gouvernemental à recourir à des firmes proches du parti afin d'obtenir une conception et une diffusion de la publicité gouvernementale conformes à ses besoins.

En septembre 1973, la firme Plurimar Inc. et le ministère des Communications signent un contrat de travail portant sur la réalisation d'une étude sur le comportement des citoyens québécois, une première en son genre au Québec.

L'étude vise quatre objectifs spécifiques: 1) tracer un portrait sociodémographique du citoyen québécois; 2) établir le niveau de connaissance de la population à l'égard de l'appareil gouvernemental; 3) mesurer le degré de difficulté qu'éprouve le citoyen à communiquer avec l'État; 4) évaluer la cote d'écoute des médias.

108 Normand Fréchette, «Informa-Tour veut assurer une présence continue du gouvernement québécois auprès du public», *Le Soleil*, 6 mars 1973, p. 15.

109 Gilles Lesage, «Plutôt qu'une agence, L'Allier veut créer un conseil de la publicité gouvernementale», *La Presse*, 12 mai 1973, p. A-7.

Notons que le deuxième objectif vise également à mesurer le niveau de connaissance que possède la population à l'égard des partis et des hommes politiques, ce qui pourrait expliquer l'intérêt que suscite cette étude pour l'exécutif et plus particulièrement pour le parti au pouvoir. La définition des objectifs de la recherche a d'ailleurs été déterminée par le ministre lui-même de concert avec son comité de stratégie. L'exécutif gouvernemental est donc à l'origine de cette étude.

L'octroi de ce contrat de travail est révélateur de l'intérêt que porte l'exécutif gouvernemental à sa relation avec les citoyens:

> *Le danger est grand que dépérisse graduellement l'interrelation entre l'émetteur et le récepteur, le premier ne sachant comment doser son message, quel canal utiliser et selon quel tempo, en tenant compte de l'extrême diversité des moyens de compréhension des gens*[110].

Cet intérêt pour une meilleure connaissance du citoyen dans sa relation avec l'État met en relief une conception avancée du marketing qui comporte une réorientation fondamentale de l'État: au lieu de simplement offrir ses services, l'État tente de les ajuster aux besoins des citoyens, ce qui nécessite, dans un premier temps, l'étude des attitudes et comportements des citoyens.

Le 17 janvier 1974, le responsable de l'information au bureau du Premier ministre et au ministère du Conseil exécutif, Charles Denis, transmet une note strictement personnelle à tous les ministres. Cette note porte sur les objectifs de l'information gouvernementale, ses principes directeurs, son élaboration et sa coordination.

L'auteur souligne que cette façon de percevoir et de réaliser l'information gouvernementale a procuré des résultats satisfaisants depuis mai 1970, en raison de la distinction qu'elle a permis de faire entre l'information politique et l'information administrative.

Selon Denis, l'information gouvernementale comprend l'information politique, qui vise à renseigner la population sur les intentions du gouvernement, et l'information administrative,

110 Gouvernement du Québec, ministère des Communications, *Étude sur le comportement des citoyens québécois*, 26 septembre 1973, p. 2.

qui découle de l'application des lois. Les principes directeurs qui régissent l'information politique relèvent du Premier ministre, du Conseil exécutif, des ministres, des députés et du secrétaire de presse du Premier ministre, lequel est aussi responsable de l'information au Conseil exécutif. L'information administrative, elle, provient des fonctionnaires des divers Services de communications ou de la Direction générale des communications gouvernementales.

Selon Denis, au niveau politique, l'élaboration de l'information gouvernementale est assumée par le Premier ministre et le Conseil des ministres, que cette information soit de nature politique ou administrative; au niveau administratif, elle est élaborée par le directeur des communications des ministères concernés conjointement avec le ministre, le sous-ministre et les directeurs généraux des ministères. De plus, au niveau administratif, la Direction générale des communications gouvernementales et la Direction générale de l'édition gouvernementale fournissent un appui technique.

La coordination de l'information gouvernementale est assumée au niveau politique par le Premier ministre avec ses ministres, au niveau administratif elle est effectuée par la DGCG et la DGEG qui relèvent du ministère des Communications.

La lecture de cette note fait apparaître une certaine ambiguïté, d'ailleurs soulevée par l'auteur:

> *Le secrétaire de presse du Premier ministre est attaché de presse du Premier ministre et directeur de l'information du ministère du Conseil exécutif. Cette situation traduit fort bien la nature ambivalente du ministère du Conseil exécutif, organisme à la fois politique et administratif*[111].

Une autre ambiguïté ressort en ce qui a trait à l'élaboration de l'information gouvernementale. Ainsi, l'affirmation selon laquelle «le Premier ministre assure en Conseil des ministres, conjointement avec ses ministres, l'élaboration de l'information gouvernementale, qu'elle soit politique ou administrative»[112] permet de supposer que la séparation des pouvoirs entre l'exécutif et l'administration est difficilement applicable en matière d'information gouvernementale.

111 Cabinet du Premier ministre, province de Québec, *Mémo à tous les ministres* de Charles Denis, 17 janvier 1974, p. 1.

112 *Ibid.*, p. 2.

En somme, les distinctions établies par Denis afin de circonscrire l'information politique et l'information administrative sont réfutées par l'extrait précédent qui ne laisse aucun doute sur le contrôle de l'information gouvernementale par l'exécutif.

En juillet, le Rapport Lemieux-Dalphond est déposé à la Direction générale des communications gouvernementales. Il comporte deux objectifs: 1) sensibiliser la population québécoise aux services gouvernementaux; 2) répondre à ses besoins en rendant l'information sur les services gouvernementaux accessible et efficace. Ce rapport fait aussi appel à l'étude sur le comportement des citoyens québécois, citée précédemment. Il identifie quatre problèmes rencontrés dans la relation État-citoyen: 1) les agents de l'État identifient bien leurs clientèles mais les connaissent mal; 2) certaines clientèles sont privilégiées, d'autres le sont moins; 3) les agents de l'État ne répondent pas adéquatement à la demande des citoyens en matière d'information; 4) les fonctionnaires sont mal perçus par le public[113].

Les principales recommandations du rapport visent à encourager l'administration publique à utiliser les sondages pour mieux connaître ses clientèles et à faire un effort afin d'informer les clientèles négligées. Les autres suggèrent une décentralisation des pouvoirs d'information vers les bureaux régionaux; elles soulignent également le besoin de faire appel à des messages simples pour que le citoyen puisse identifier les services gouvernementaux disponibles et la nécessité de former les fonctionnaires en matière de communication interpersonnelle.

Cette étude, dont la cueillette des données a été effectuée au moyen d'entrevues de groupe auprès de hauts fonctionnaires, de fonctionnaires et de citoyens, a confirmé l'urgent besoin pour l'État et l'exécutif gouvernemental de communiquer plus efficacement avec la population. Cette démarche doit se fonder sur une stratégie de marketing où la compréhension du consommateur constitue l'attitude la plus efficace pour cerner ses besoins et les satisfaire.

Combiné à l'étude de Plurimar, le Rapport de Lemieux et Dalphond constitue la première approche marketing sérieuse en

113 Vincent Lemieux, Edgar Dalphond, *La communication inachevée... Recherche sur la relation État-citoyen*, Rapport préparé pour la Direction générale des communications gouvernementales du MCQ, juillet 1974, p. 5-6.

matière de perception du «produit» que représentent les services gouvernementaux québécois.

Durant cette période, Jean Paul Quinty, qui a collaboré à l'élaboration du Rapport Lemieux-Dalphond, rédige «La communication inachevée: le temps de l'action»[114]. Cette étude contient une réflexion théorique sur le rôle de l'État dans sa relation avec les citoyens. Elle favorise une nouvelle approche pour la DGCG, accompagnée d'une stratégie d'implantation, basée sur une restructuration de l'information gouvernementale québécoise.

En 1976, Quinty dépose «L'organisation du feedback rendu», un rapport préliminaire sur la rétroaction projetée du réseau d'information gouvernementale de Communication-Québec. L'auteur y évalue la rétroaction comme fonction de contrôle et d'évaluation de l'information provenant de la population, tout en définissant la contribution des fonctionnaires du réseau dans leurs relations avec la population.

En décembre de la même année, deux documents de travail internes, l'un préparé par Claude Girard, directeur régional de Communication-Québec à Rimouski à l'attention de Gérard Frigon, sous-ministre en titre au ministère des Communications, l'autre également par M. Girard conjointement avec Lucien Bouchard, directeur à Trois-Rivières, et Pierre-Paul Lafortune, directeur à Montréal, portent respectivement sur l'orientation et l'organisation de la DGCG et sur le rôle de l'agent d'information à Communication-Québec.

Dans le premier document, Girard constate que le ministère des Communications n'a pas encore assumé le leadership des communications gouvernementales. La DGCG n'a pu, en conséquence, gagner le respect et s'assurer la collaboration des Directions ministérielles de communications. Il perçoit une absence de volonté gouvernementale à communiquer avec la population et, dans une telle perspective, il suggère des actions qui font apparaître pour la première fois des termes de «marketing», au sens strict, dans un document gouvernemental interne au Québec.

Il met en relief la nécessité pour le directeur des communications d'évaluer la pertinence d'un projet de communications

114 Jean Paul Quinty, *La communication inachevée: le temps de l'action*, Québec, MCQ, 1974, 70 pages.

avec les citoyens, d'établir sa stratégie, d'en fixer les objectifs, de déterminer les ressources nécessaires et de préciser les résultats attendus.

Pour Girard, les priorités gouvernementales en matière de communications doivent être définies à partir de deux sources: les citoyens et l'exécutif gouvernemental. De plus, il constate que le ministère des Communications n'utilise pas ses bureaux régionaux pour connaître les besoins de la population.

Selon lui, l'avènement d'un nouveau gouvernement et la volonté de changement qui l'anime favoriseront l'utilisation d'une démarche axée sur la rétroinformation.

Dans sa perception du mandat de coordonner l'information gouvernementale qui échoit à la DGCG, l'auteur note que les obstacles auxquels cet organisme doit faire face sont de deux ordres: son manque de crédibilité, en raison de la faiblesse de ses ressources et d'une mauvaise stratégie de développement, et la volonté d'autonomie des Directions de communications des ministères.

Le second document de travail, préparé par Girard, Bouchard et Lafortune, traite du statut, du rôle et de l'intégration de l'agent d'information dans les bureaux régionaux de Communication-Québec.

Bien que ces documents soient de nature interne, ils confirment l'intérêt de certains fonctionnaires responsables des communications gouvernementales en région d'utiliser l'approche marketing afin de promouvoir l'accès aux services gouvernementaux.

Parallèlement à ces documents de travail, une enquête sur les habitudes d'écoute de la radio et de la télévision des Québécois est publiée par le Service de développement des médias du ministère des Communications. L'enquête a été réalisée à l'automne 1975 pour la composante radio et à l'hiver 1976 pour la composante télévision[115].

115 Daniel Giroux, Maria S. Rousseau, *Analyses des habitudes d'écoute de la radio et de la télévision des 9 régions administratives du Québec*, Service du développement des médias, MCQ, décembre 1976, 118 pages.

C'est la première fois, à notre connaissance, que de telles enquêtes, outils de base du placement média et, par conséquent, du marketing, sont effectuées directement pour le compte du gouvernement du Québec.

Entre 1970 et 1976, l'information gouvernementale est donc décentralisée puisqu'elle est confiée à chaque ministère contrairement aux années soixante où, sous la tutelle de l'OIPQ et du Conseil exécutif, elle était fortement centralisée. Ce phénomène favorise le développement d'un appareil de communication autonome au bureau du Premier ministre qui, de là, contrôle et coordonne l'information diffusée par l'exécutif gouvernemental par le truchement du ministère du Conseil exécutif et de tous les Cabinets de ministres.

Cependant, dès la fin 1973, le ministre L'Allier et certains fonctionnaires du ministère des Communications apparaissent plus conscients du manque de communication qui prévaut entre l'État et les citoyens. À compter de 1974, l'administration publique se sensibilise à l'information gouvernementale, comme en font foi les nombreux documents de travail sur ce sujet de même que l'utilisation d'outils de sondage propres à une véritable approche de marketing des services gouvernementaux. Toutefois, entre 1974 et 1976, l'exécutif gouvernemental, à l'exclusion de Jean-Paul L'Allier, ne semble pas plus intéressé à faire appel aux fonctionnaires pour diffuser l'information gouvernementale qu'elle ne l'était après sa victoire du 29 avril 1970.

III

Le marketing gouvernemental du Parti québécois, l'âge d'or, 1977 à 1985

7

La première phase, 1977-1981

L'*Étude des crédits* du ministère des Communications, publiée en avril 1977, fait état de la contribution financière et technique de la DGCG à différents projets et documents d'information demandés par certains ministères et organismes gouvernementaux, telle la réalisation de la série «Cher Eugène» à Radio-Québec constituée de 37 émissions d'information sur les services gouvernementaux, les petites créances, etc.[116] Cette initiative est un exemple d'activités de marketing des services gouvernementaux à but non lucratif dirigées par l'administration publique.

Les premières manifestations de la volonté de la nouvelle administration de réaliser un marketing de l'exécutif gouvernemental se traduisent en ces termes dans l'*Étude*:

> [Il doit y avoir] *une plus grande cohérence de l'image gouvernementale dans les communications*[117].

Ce même document met en relief l'effort de commercialisation du Service de l'édition gouvernementale afin d'augmenter les ventes de publications gouvernementales. Une telle initiative

116 *Étude des crédits*, ministère des Communications, 1977-1978, avril 1977, p. 7.
117 *Ibid.*, p. 35.

confirme l'utilisation du marketing des services gouvernementaux par les fonctionnaires dans l'administration publique québécoise.

Le 3 mai 1977, un article de *La Presse* indique l'importance qu'accorde le nouvel exécutif gouvernemental à l'information ainsi qu'aux moyens de communication.

> *Expliquant sa politique récemment, M. O'Neill a dit qu'il considérait l'industrie de la radiodiffusion comme un* service public *responsable du* droit du public à l'information, *et qu'en conséquence, cette industrie a valeur d'outil essentiel pour la présentation, la propagation, la stimulation et le développement de la culture québécoise. Poursuivant son explication, le ministre a indiqué que l'État québécois devra après l'indépendance toujours voir à exercer son influence sur tout, à partir des commerciaux jusqu'à la musique «Pop», et ce, dans le but de préserver la* pureté culturelle de la population francophone[118].

En septembre 1977, le rapport préliminaire du Comité de travail des directeurs des communications, sous la responsabilité de Gérard Frigon, sous-ministre des Communications, est déposé.

Ce document de travail comporte quatre recommandations. La première demande au gouvernement de maintenir l'actuelle décentralisation des communications gouvernementales. Pour que la DGCG puisse s'y conformer, son rôle doit être redéfini. Cette recommandation réclame également que soit créée une conférence permanente des directeurs des communications et que son secrétariat soit confié à la DGCG.

La seconde recommandation, qui porte sur les Directions sectorielles de communications, propose que chacune des Directions de communications des ministères se voit confier la responsabilité de concevoir et gérer son propre budget d'information.

La troisième recommandation relative aux organismes centraux suggère que la conférence permanente des directeurs des communications ait le mandat, avec la Commission de la fonction publique, de réévaluer les normes d'embauche et de sélection du personnel des communications gouvernementales, et

118 Jean Pelletier, «Cette conscience collective nationale», *La Presse*, 3 mai 1977, p. A-4.

que la Loi sur l'administration financière soit revue afin d'accorder au sous-chef de chaque ministère un pouvoir accru en matière de gestion des budgets de communications.

La dernière recommande que la Conférence permanente des directeurs des communications soit mandatée pour réaliser une étude exhaustive sur la liaison entre «l'administratif» et «le politique» afin de mettre en œuvre des mécanismes de coopération efficaces.

Un mois plus tard, la division Organisation et Recherche de la DGCG dépose un rapport d'étude sur la situation des communicateurs gouvernementaux et sur les interventions susceptibles d'améliorer leur efficacité. Ses recommandations portent sur la fonction, le recrutement, la classification, le perfectionnement, le plan de carrière et la mobilité du communicateur gouvernemental.

Le 21 janvier 1978, Jean-François Cloutier, conseiller en communications du ministre d'État au Développement économique, Bernard Landry, dépose un mémoire au Cabinet du Premier ministre concernant l'élaboration d'une stratégie globale de communications accompagné d'une lettre de transmission adressée à M. Jean-Roch Boivin, chef de Cabinet du Premier ministre René Lévesque.

Depuis l'arrivée au pouvoir du gouvernement du Parti québécois, ce mémoire constitue le premier exercice de réflexion réalisé à l'intérieur de l'exécutif gouvernemental afin de coordonner l'information gouvernementale. Cloutier constate dans son mémoire:

> *Le gouvernement du Parti Québécois, après une année complète d'exercice du pouvoir, éprouve une difficulté évidente à permettre le suivi de son action par la population du Québec*[119].

Il attribue cette situation au fait que l'exécutif gouvernemental n'est pas encore rompu à l'usage des comités ministériels permanents issus de la réforme effectuée par le Premier ministre

119 Mémoire au Cabinet du Premier ministre, *Propositions concernant l'élaboration d'une stratégie globale de communications,* par Jean-François Cloutier, 21 janvier 1978. (Une lettre à Jean-Roch Boivin ainsi qu'une note de service à Robert Mackay attaché de presse du Premier ministre, les deux en date du 21 janvier 1978, accompagnent ce mémoire.)

au niveau de l'organisation et du fonctionnement du Conseil des ministres. Cloutier croit que seule une volonté politique ferme permettra d'effectuer une réforme de l'information. L'élaboration de la stratégie globale de communications du gouvernement devra faire appel à deux instruments politiques: le discours inaugural et l'analyse politique de ce discours. Cette stratégie mettra en commun les communications relatives aux domaines du développement économique, du développement culturel, du développement social, de l'aménagement, des finances, de la réforme électorale et parlementaire et des affaires intergouvernementales. Cloutier propose que ce soit le Comité des priorités qui formule à l'intention du Conseil des ministres la stratégie globale de communications.

Ce mémoire, adressé directement au Cabinet du Premier ministre, n'est pas l'équivalent d'un mémoire au Conseil des ministres, car il n'est pas signé par un membre de l'exécutif gouvernemental, c'est-à-dire un élu, mais plutôt par un membre du personnel politique. Cependant, ce document a été produit à l'intérieur de la structure fonctionnelle de l'exécutif gouvernemental, dans le but de permettre aux élus d'exercer leur volonté politique. Pris dans une telle perspective, ce document a une valeur certaine.

Quant à son contenu, il reflète une nette centralisation de l'information gouvernementale entre les mains de l'exécutif, centralisation intégrée à l'intérieur d'un exercice de marketing de l'exécutif gouvernemental dirigé par le Premier ministre, le Comité des priorités et les divers comités permanents concernés.

M. Jean-Roch Boivin, chef de Cabinet du Premier ministre, accuse réception de ce mémoire le 27 janvier 1978, en soulignant à M. Cloutier qu'il le transmet à son collègue responsable des communications au Cabinet, M. Robert Mackay.

Durant cette période, Cloutier coordonne l'ensemble des communications liées à l'Opération solidarité économique (OSE) à laquelle prennent part 20 ministères et organismes gouvernementaux. Le budget total de la campagne publicitaire OSE s'élève à 4 600 800 $ et comprend quatre vagues de diffusion publicitaire impliquant l'utilisation des médias électroniques, du magazine OSE, de dépliants d'information, de vidéos, de sondages, etc.

Par ailleurs, le 22 février 1978, à l'insu du secrétaire général du Conseil exécutif et du ministre des Communications, le Premier ministre nomme M. Jean Laurin sous-ministre adjoint au ministère des Communications[120]. Cette nomination constitue la première action concrète de l'exécutif destinée à centraliser l'information gouvernementale et à réaliser ainsi le marketing de l'exécutif.

Pendant ce temps, les neuf bureaux de Communication-Québec participent activement aux tournées d'information et de consultation de l'exécutif gouvernemental.

En avril, le ministre des Communications, Louis O'Neill, affirme à la Commission permanente des communications:

> *C'est une fonction régulière des bureaux de Communication-Québec d'assurer la présence gouvernementale en région. Et là, je m'explique quand je dis la présence gouvernementale. Quand il y a une tournée ministérielle d'organisée, par exemple, sur la Loi d'assurance automobile, ce que le ministère ou ce que Communication-Québec fait, c'est voir à réserver les salles, convoquer les journalistes, aviser en région les organisations susceptibles de soumettre des mémoires, mais ça ne se limite pas qu'à l'organisation matérielle de la tournée ministérielle*[121].

Le fait que l'exécutif gouvernemental affecte les fonctionnaires à la promotion de projets qui ne sont pas encore des lois indique que cet exercice de marketing est celui de l'exécutif et non celui des services gouvernementaux.

Au même moment et devant la même commission parlementaire, le député libéral de Gatineau, Michel Gratton, s'attaque au caractère «éminemment partisan», selon lui, du slogan «On s'attache au Québec» qui est le thème de la campagne publicitaire du ministère des Transports.

De plus, le 10 avril 1978, un rapport sur la consultation des directeurs de communications de la fonction publique du Québec concernant l'élaboration d'un programme de perfectionnement est déposé conjointement par le ministère des Com-

120 *Arrêté en conseil #448-78,* concernant monsieur Jean Laurin, 22 février 1978.

121 Assemblée nationale du Québec, *Journal des débats,* commission parlementaire, Troisième session — 31e législature, Commission permanente des Communications, Étude des crédits du ministère des Communications, 5 avril 1978, p. 19.

munications et le ministère de la Fonction publique[122]. Cette étude vise deux objectifs: valider une série de thèmes sur la gestion des communications et connaître le point de vue des directeurs de communications à l'égard du programme de perfectionnement.

Les deux thèmes de cette étude qui ont soulevé le plus d'intérêt chez les 26 directeurs de communications interrogés ont été la gestion des activités d'information ainsi que la communication-marketing.

Les directeurs de communications ont demandé des activités de perfectionnement portant sur l'acquisition de connaissances théoriques de base liées à l'ensemble de la gestion des communications, et sur le nouveau processus publicitaire gouvernemental, notamment la détermination des «clientèles cibles» en fonction de l'information à donner.

Nous constatons ici qu'un état de symbiose se développe durant cette période entre les fonctionnaires et l'exécutif en matière de communications et d'information gouvernementales.

Le ministre des Communications, Louis O'Neill, dépose le 18 mai 1978 un mémoire au Conseil des ministres concernant l'information gouvernementale.

La section du mémoire portant sur l'état de la situation dans les ministères, et en particulier au ministère des Communications, fait valoir que le transfert des responsabilités afférentes à l'information gouvernementale vers les ministères depuis 1972 a provoqué une sérieuse carence nuisant à l'image du gouvernement du Québec.

C'est dans un tel contexte que le ministre des Communications recommande que soient créés le Centre des services en communications et le Conseil des directeurs de communications, et que soient définies les responsabilités du nouveau sous-ministre adjoint à l'Information gouvernementale, M. Jean Laurin.

122 Jacqueline Brassard, Raynald Lamirande, Bernard N. Tessier, *Rapport sur la consultation des directeurs de communications de la fonction publique du Québec concernant l'élaboration d'une programmation de perfectionnement,* Document préparé conjointement par le ministère des Communications et le ministère de la Fonction publique du Québec, 10 avril 1978, p. 10.

L'attribution des pouvoirs entre ces trois entités se répartit comme suit: premièrement, le Centre des services en communications (CSC) doit mettre à la disposition des utilisateurs des services techniques dans le domaine de l'information et des communications. Le CSC comprend trois sections: le Service des médias, le Service de la gestion publicitaire et la Direction des communications régionales. Le Service des médias sera responsable des sondages et de l'élaboration d'une stratégie d'information et de publicité. Le Service de la gestion publicitaire, lui, veille à gérer la publicité obligatoire (offres d'emplois, avis publics, appels d'offres), la publicité gouvernementale par mandat, l'identification visuelle (papeterie, audiovisuel, véhicules, uniformes, etc.) ainsi que les expositions. Enfin, la Direction des communications régionales verra à accroître et à développer les bureaux régionaux de Communication-Québec sur l'ensemble du territoire québécois dans le cadre d'une déconcentration géographique de ses activités.

Deuxièmement, la création du Conseil des directeurs de communications vise à constituer une véritable table de concertation qui permettra aux quelque 50 directeurs de participer à la coordination et à la planification des communications gouvernementales. Ce conseil sera doté d'un secrétariat permanent dirigé par un secrétaire exécutif relevant du sous-ministre adjoint à l'Information gouvernementale.

Troisièmement, les responsabilités du sous-ministre adjoint à l'Information gouvernementale seront, dans un premier temps, de s'occuper de toutes les demandes effectuées auprès du Conseil du Trésor ayant trait aux communications gouvernementales.

D'autre part, le sous-ministre adjoint devra élaborer la politique de communications gouvernementales, la coordonner sous tous ses aspects, présider les délibérations du Conseil des directeurs de communications, assurer la liaison avec le secrétaire général du Conseil exécutif, les secrétaires généraux associés et les sous-ministres concernés en vue de traduire les priorités de l'exécutif en matière d'information gouvernementale et d'améliorer les relations État-citoyen. Les recommandations contenues dans ce mémoire remis au Conseil des ministres confirment le caractère programmatique du gouvernement du Parti québécois qui n'hésite pas à utiliser les agents gouvernementaux pour faire exécuter ses politiques.

L'auteur de l'annexe V de ce mémoire intitulé «Implications politiques», M. Pierre Régnier, secrétaire particulier adjoint du ministre des Communications, prévoit certaines réactions négatives, «puisque le MCQ [ministère des Communications du Québec] prendra de plus en plus de place dans le domaine de l'information gouvernementale»[123].

Régnier tente de légitimer cette centralisation de l'information gouvernementale par l'exécutif en ces termes:

> *Cependant, ce que nous proposons n'est aucunement rattachable à de la centralisation, c'est de la coordination, rien d'autre. Nous visons la cohérence de l'image et du message gouvernemental afin que les Québécois soient informés des politiques et surtout des priorités de l'action gouvernementale*[124].

C'est la première fois dans l'histoire de l'information gouvernementale au Québec qu'un mémoire remis au Conseil des ministres recèle des craintes relatives à l'impact d'une réforme en matière d'information et légitimise cette dernière à l'aide d'une terminologie qui nous paraît ambiguë en ce qu'elle tente de distinguer la coordination et la cohérence de l'image gouvernementale d'un exercice de centralisation. Les commentaires du secrétaire particulier adjoint sur la réaction probable de la presse témoignent de la nature politique de cette réforme effectuée par et pour le compte de l'exécutif gouvernemental.

> *Quant à la presse, elle verra peut-être là une mesure politique préréférendaire, ce qui est vrai dans le sens où une meilleure information des intentions du gouvernement du Québec risque d'influencer les résultats du référendum ou de la prochaine élection. De toute façon, nous ne devons pas réagir aux affirmations de la presse mais les alimenter*[125].

Une telle attitude en ce qui concerne le traitement de l'information gouvernementale démontre le caractère idéologique et partisan de cette réforme. D'ailleurs, M. Régnier conclut l'annexe V dans des termes sans équivoque à l'égard de la nature de cette réforme de l'exécutif:

> *En fin de compte, il n'est pas utile à notre avis de publiciser les mesures; ce qui est important, c'est d'en arriver rapidement à des résultats pratiques*[126].

123 *Mémoire au Conseil des ministres concernant l'information gouvernementale*, le ministre des Communications, Louis O'Neill, 18 mai 1978, annexe V.

124 *Ibid.*

125 *Ibid.*, p. 2.

126 *Ibid.*

Le 20 juin, Jean-François Cloutier conseiller en communications du ministre d'État au Développement économique, Bernard Landry, formule à l'intention du secrétaire général du Conseil exécutif, Louis Bernard, d'importantes critiques à l'égard du mémoire O'Neill.

Cloutier soutient que le Conseil des directeurs de communications risque de devenir un organisme bidon, alourdi par la bureaucratie, en raison des quelque 50 directeurs qui le composent. Pour ce qui est du poste de sous-ministre adjoint à l'Information gouvernementale, l'auteur de la note croit qu'il devra participer à tous les groupes de travail mis sur pied par le ministère du Conseil exécutif s'il veut réaliser son travail adéquatement.

Durant cette période, le conseiller en communications de Bernard Landry a acquis une certaine notoriété auprès de l'exécutif gouvernemental et de l'administration en raison de la campagne OSE qu'il a conçue et coordonnée avec succès.

Malgré ces critiques de Cloutier, le Conseil des ministres approuve, dans sa réunion du 12 juillet, le mémoire sur l'information gouvernementale signé par le ministre Louis O'Neill.

Le lendemain, un communiqué intitulé «L'information gouvernementale sera plus coordonnée» est émis par le ministère des Communications[127]. Ce communiqué confirme les trois principales modifications qui avaient été proposées dans le mémoire: premièrement, la transformation progressive de la Direction générale des communications gouvernementales en Centre des services de communications; deuxièmement, la mise sur pied d'un Conseil des directeurs de communications présidé par le SMAIG[128] à qui, et c'est la troisième modification, on attribue de nouvelles responsabilités, plus particulièrement celle de devoir approuver, avant que le Conseil du Trésor ne puisse l'autoriser, toute dépense liée aux communications et à la publicité gouvernementales. L'adoption de ce mémoire par le Conseil des ministres confirme un retour à la centralisation de l'information gouvernementale, destiné à assurer un marketing de l'exécutif gouvernemental similaire à celui pratiqué par l'OIPQ dans les années 1966-1970.

127 Gouvernement du Québec, ministère des Communications, Communiqué, *L'information gouvernementale sera plus coordonnée*, source: Pierre Pourchelle, Service des communications, Québec, 13 juillet 1978.

128 Sous-ministre adjoint à l'Information gouvernementale.

Le 2 août 1978, le nouveau Conseil des directeurs de communications dépose un document de travail qui vise à définir la raison d'être, les fonctions et les domaines d'activités liés à la Direction des communications dans les ministères et organismes gouvernementaux.

Ce document conçoit la fonction de communication gouvernementale dans une perspective marketing.

> *Il reste qu'un produit gouvernemental, malgré toutes les distinctions évidentes à faire avec un produit commercial, est ou doit être défini en tenant compte autant des personnes auxquelles il est destiné, de leurs besoins, attitudes et perceptions, que des fonctionnaires qui auront à le mettre en application et des moyens à employer pour assurer son fonctionnement et son utilisation*[129].

Selon ce document, pour que la communication gouvernementale puisse occuper une part significative du marché, elle doit aligner ses normes d'efficacité sur celles de la communication des entreprises privées.

Le 29 août 1978, le Conseil du Trésor approuve un nouveau plan d'organisation administrative supérieure du ministère des Communications conforme aux suggestions du mémoire du Conseil des ministres concernant l'information gouvernementale.

Par ailleurs, cette décision du Conseil du Trésor n'entraîne aucun accroissement significatif du personnel: le nombre d'employés passe de 201 sous le régime de la DGCG à 205 après cette réforme.

En octobre, Cloutier transmet un mémoire, concernant la création d'une Direction des communications au ministère du Conseil exécutif, à son patron Bernard Landry, ministre d'État au Développement économique, ainsi qu'à Louis Bernard, secrétaire général du Conseil exécutif.

Ce mémoire soulève plusieurs questions d'ordre fonctionnel et politique. Sur le plan fonctionnel, la création d'une telle Direction des communications au ministère du Conseil exécutif

129 Le Secrétariat du Conseil des directeurs de communications, la Direction des communications, *Raison d'être, fonctions, domaines d'activités,* Document de travail, 2 août 1978, p. 2.

pouvait constituer une entrave aux activités du nouveau sous-ministre adjoint à l'Information gouvernementale et mettre ainsi en péril la réforme de l'information gouvernementale. Ainsi, durant cette période, le nouveau sous-ministre adjoint à l'Information gouvernementale, Jean Laurin, a tenté de mettre la main sur l'Opération solidarité économique (OSE), alors sous la responsabilité de Cloutier au ministère des Communications. Cloutier commente cette tentative:

> *J'ai perçu Jean Laurin comme un élément dangereux sur un point. Au moment où il a voulu rapatrier l'Opération Solidarité Économique dans le giron du ministère des Communications, à mon avis sans comprendre que pour une coordination efficace d'un programme qui impliquait à peu près une quinzaine de ministères et organismes, il fallait qu'il y ait la mention exécutif à côté de ce projet-là pour que ça marche. Or, il a essayé ça, il a échoué et quand je dis compétition, s'il y a eu compétition, c'est à ce niveau-là*[130].

Les propos de Cloutier contribuent à valider la thèse selon laquelle il aurait voulu consolider l'opération OSE, qu'il dirigeait à partir du Conseil exécutif, par la création d'une Direction des communications autonome relevant du secrétaire général Louis Bernard et, par conséquent, à l'abri de toute intervention extérieure.

Sur le plan politique, ce mémoire laisse entrevoir une prise en charge de l'information gouvernementale encore plus centralisatrice que celle effectuée lors de la réforme du 12 juillet 1978, en raison de la concentration de responsabilités directement au Conseil exécutif et non dans l'administration publique d'un ministère, comme c'est le cas dans la réforme du 12 juillet. Ce mémoire illustre bien la volonté de certains membres de l'exécutif de veiller à ce que leurs actions et projets soient réalisés par la voie d'un marketing de l'exécutif et non d'un marketing des services gouvernementaux dirigés par des fonctionnaires.

D'ailleurs Cloutier avoue:

> *Dans la tête des décideurs à l'époque, comme le Secrétaire général, certains autres ministres (le ministre à vocation économique, le ministre au développement social, Marois) et les vice-présidents du Conseil du Trésor qui se sont suivis, eux avaient l'impression de pouvoir faire couler la volonté politico-administrative par moi; il y aurait moins d'incertitude avec moi, peut-être, qu'il y en aurait eu avec Jean Laurin*[131].

130 *Entrevue avec Jean-François Cloutier*, Québec, 25 septembre 1986.
131 *Ibid.*, p. 2.

De toute façon, le mémoire de Cloutier est rejeté par l'exécutif pour la simple raison que la réforme de l'information gouvernementale vient tout juste d'être approuvée et amorcée.

Le 12 décembre 1978, la Commission de la fonction publique du Québec lance un concours de recrutement afin d'embaucher un spécialiste en marketing social pour le ministère des Communications.

Jean Laurin commente le recrutement de ce spécialiste en ces termes:

> [Il] *fallait donc quelqu'un qui soit issu de ce milieu-là ou qui possède des connaissances en matière de stratégie, en matière d'axe de communication, de définition de clientèle, mais dans le but d'aider les directeurs de communications à mieux préparer leur propre campagne de publicité ou encore dans le but de mieux analyser les projets de campagne de publicité*[132].

Ses propos indiquent l'importance qu'il accorde à l'utilisation de l'approche marketing en matière de communication gouvernementale.

En janvier 1979, la firme CROP de Montréal dépose au ministère des Communications les résultats d'un sondage mesurant le degré de connaissance qu'a la population des campagnes de publicité du gouvernement du Québec. Ils révèlent que 49% des répondants connaissent les messages publicitaires du gouvernement québécois, et que plus de 73% de ces mêmes répondants les approuvent et les trouvent utiles.

Cependant, parallèlement à ce sondage, un comité composé de spécialistes exprime certaines craintes relativement au danger de verser dans la propagande engendrée par trop de publicité gouvernementale. Une telle constatation témoigne de l'ampleur, durant cette période, de la diffusion de la publicité gouvernementale qui vise à promouvoir les actions et les projets de l'exécutif.

Lors du débat sur le message inaugural du Premier ministre à l'Assemblée nationale, le 14 mars 1979, Claude Forget, député libéral de St-Laurent, réclame l'adoption d'une loi sur l'accès à l'information de l'administration publique québécoise pour tous les députés, afin d'enrayer la politisation de l'administration publique au Québec.

132 *Entrevue avec Jean Laurin*, Montréal, 3 octobre 1986.

Le député libéral croit que le gouvernement politise l'administration publique sans se soucier de la séparation des responsabilités traditionnelles qui doit prévaloir entre l'exécutif et l'administration dans un État démocratique.

Au même moment, l'Union nationale dépose en conférence de presse à Québec un document qui fait ressortir l'augmentation rapide des dépenses publicitaires du gouvernement péquiste par rapport à celles du gouvernement libéral de Robert Bourassa. Selon l'UN, en effet, alors qu'au cours des années 1975 et 1976 l'administration libérale avait consacré 10 700 000 $ pour la promotion des programmes gouvernementaux, le gouvernement du Parti québécois y a consacré 6 100 000 $ en 1977, 12 500 000 $ en 1978 et 5 500 000 $ en janvier et février 1979, totalisant ainsi pour cette période 24 100 000 $[133].

À l'Assemblée nationale, le ministre des Communications, Louis O'Neill, répond à une question du député unioniste de Nicolet-Yamaska sur l'augmentation de ces coûts, avec un mépris non dissimulé à l'égard de l'opposition:

> *Héritiers de patroneux que vous êtes! Vous allez l'avoir la réponse! L'augmentation réelle par rapport à l'an dernier équivaut à une augmentation régulière par rapport aux années précédentes, c'est-à-dire approximativement 21%. Ce montant sera donc d'environ $12 millions quand on sera rendu au 31 mars, par rapport à $10 millions, environ, 10 900 000 $ l'an dernier. C'est donc une augmentation tout à fait normale*[134].

De plus, le ministre se sert du sondage effectué en janvier par CROP, dans lequel les répondants disaient appuyer la démarche publicitaire gouvernementale, pour soutenir le bien-fondé de ces dépenses publicitaires.

Durant la même période de questions, le Premier ministre vient à la rescousse de son ministre en utilisant lui aussi les résultats du sondage CROP et en invoquant le besoin de développer le sentiment de l'identité québécoise pour justifier ces dépenses gouvernementales.

133 L'Union nationale, *Conférence de presse sur la publicité partisane*, Québec, 20 mars 1979. Voir aussi: Jean-Claude Picard, «L'UN dénonce les abus du gouvernement», *Le Devoir*, 21 mars 1979, p. 1.

134 Assemblée nationale, *Journal des débats*, 20 mars 1979, p. 264-265 (condensé).

Le 26 mars, Lysiane Gagnon brosse le portrait du nouveau sous-ministre adjoint à l'Information gouvernementale:

> *L'homme incarne toutes les ambiguïtés de ce qu'on appelle la publicité et l'information gouvernementales. Il connaît aussi par cœur toutes les petites habitudes politiques des Québécois. Il sait, par exemple, quel est le taux de pénétration de telle publicité dans telle région, mais aussi combien de comtés elle rejoint. Il a la tête d'un expert et les deux pieds dans le terreau politique*[135].

Ce type de commentaires provenant de la presse démontre la visibilité du phénomène politique entourant l'information et les communications gouvernementales durant cette période. Il illustre de plus les retombées électorales possibles de l'information gouvernementale.

Lors de l'étude des crédits du MCQ (1979-1980) en avril, il est fait mention que l'une des activités du nouveau Conseil des directeurs de communications (CDC) est de clarifier les notions d'information administrative et d'information politique. Le député libéral de St-Laurent, Claude Forget, demande au ministre quelles sont les conclusions du CDC à ce sujet et dans quel document elles sont consignées. Le ministre lui répond qu'aucun document n'est disponible pour le moment, mais spécifie que l'exécutif gouvernemental effectue toujours la distinction entre ses tâches et celles de l'administration.

Faisant référence à des directives données par le ministre à des fonctionnaires en tournées en janvier et février 1979, consignées dans un texte déposé en commission parlementaire, Forget prétend qu'elles «sont basées sur une distinction de pure raison entre des tournées soi-disant administratives et d'autres qui seraient partisanes»[136].

Le député de St-Laurent reproche au ministre des Communications de ne pas faire la distinction entre un projet de loi et une loi lorsque vient le temps d'effectuer les tournées ministérielles. Pour O'Neill cependant, il est tout à fait normal d'organiser des tournées ministérielles pour consulter la population sur l'avenir d'un projet gouvernemental. Il affirme d'ailleurs que c'est dans

135 Lysiane Gagnon, *La Presse*, 26 mars 1979, p. A-11.

136 Assemblée nationale du Québec, *Journal des débats*, commissions parlementaires, Quatrième session — 31e législature, Commission permanente des Communications, Étude des crédits du ministère des Communications (1), 24 avril 1979, n° 48, p. B-2100.

une telle perspective que le réseau des bureaux régionaux de Communication-Québec a organisé 104 activités en 1978-1979 nécessitant la présence de ministres en régions.

La lutte que mène l'opposition contre le projet de loi n° 4 sur la programmation éducative proposé par le ministre des Communications, Louis O'Neill, prend de l'ampleur lorsque, le 15 juin 1979, Michel Roy du *Devoir* soulève certains points controversés. En effet, le projet vise à permettre à la Régie des services publics de statuer sur la nature éducative de la programmation d'une entreprise de radio-télédiffusion ou de câblodiffusion qui en fait la requête; il établit que, entre autres critères, sont éducatives les émissions destinées à promouvoir le patrimoine culturel. Mais les définitions contenues dans ce projet de loi sont à ce point générales qu'elles peuvent permettre de diffuser, par une propagande sociologique subtile, les idées et objectifs de l'exécutif.

Le député libéral Jean-Claude Rivest s'insurge en commission parlementaire contre l'ampleur des pouvoirs que confère le projet de loi n° 4 au ministre des Communications relativement à la sélection d'une programmation éducative et à l'appui financier qu'il peut y accorder.

En mars 1980, c'est au tour du député unioniste de Nicolet-Yamaska, Serge Fontaine, de s'élever contre la nature partisane de la publicité gouvernementale et contre le coût élevé de celle-ci à la veille du référendum. Le député unioniste accuse Jean Laurin de travailler pour faire avancer la cause du «oui».

Le nouveau ministre des Communications, Denis Vaugeois, avoue:

> *Nos agences de publicité, à certains moments, recourent à des messages qui ressemblent à ceux d'un homme politique, j'en conviens, dans certains cas*[137].

À l'instar des députés de l'opposition, il se dit préoccupé de l'augmentation des budgets de la publicité gouvernementale.

137 Assemblée nationale du Québec, *Journal des débats*, Commission parlementaire, Quatrième session — 31e législature, Commission permanente des communications, Étude des crédits du ministère des Communications, 1er avril 1980, n° 274, p. B-13032.

Le député libéral Jean-Claude Rivest trouve que le gouvernement ne fait pas la distinction entre l'information administrative et l'information politique. Le député péquiste Pierre De Bellefeuille rétorque:

> *Vous cherchez à gratouiller dans les programmes de publicité pour trouver des choses par lesquelles le gouvernement du Québec chercherait à décourager les Québécois? Vous n'en trouverez pas. Des choses par lesquelles le gouvernement du Québec chercherait à semer le germe du non, le germe d'un manque de confiance en lui-même, vous n'en trouverez pas. C'est parce que votre non n'est pas Québécois*[138].

La réponse du député témoigne de l'ingérence de l'exécutif dans la publicité gouvernementale.

La clarification des notions d'information administrative et d'information politique, qui devait constituer une des principales activités du Conseil des directeurs de communications selon le document sur l'étude des crédits de l'année précédente (1979-1980), ne fait l'objet d'aucune mention dans la présente étude des crédits. Tout au plus, dans les orientations pour 1981, le CDC se propose d'élaborer, en consultation, un code de déontologie des communicateurs gouvernementaux.

L'étude des crédits qui porte sur la période 1980-1981 démontre que Communication-Québec accroît significativement son réseau et son rôle. Alors que depuis 1977, son mandat était strictement de renseigner les citoyens, on constate que cet organisme devient, par décret, responsable de la coordination interministérielle de l'information régionale ainsi que de la rétroinformation. Ce même décret du Conseil des ministres approuve la création de cinq nouveaux bureaux de Communication-Québec qui ouvriront leurs portes durant l'année 1980 et 1981.

Cette évolution témoigne de la volonté de l'exécutif gouvernemental d'accroître le niveau de pénétration de l'information et de la rétroinformation gouvernementales dans une perspective marketing des services gouvernementaux axée sur la déconcentration géographique.

L'étude des crédits fait également état du fait que Communication-Québec devra développer son expertise régionale en normalisant la cueillette, la classification, la conserva-

138 *Ibid.*, p. B-13040.

tion et la mise à jour des données régionales. Une telle démarche confirme le besoin qu'éprouvent le ministère des Communications et l'exécutif gouvernemental de mieux connaître les attitudes et les comportements des citoyens québécois.

Le 14 août 1980, le Premier ministre adresse une note de service aux membres du Conseil exécutif, plus particulièrement aux ministres, pour les informer que dorénavant la diffusion de l'information devra être plus étroitement coordonnée. M. Lévesque nomme Jean-François Cloutier responsable de cet exercice de coordination.

> *Afin d'assurer la coordination la plus étroite possible entre les membres du gouvernement, le ministre qui a l'intention de donner une conférence de presse... ou publier un document pouvant refléter une politique gouvernementale nouvelle devra, au préalable, en informer le Cabinet du Premier ministre (à l'attention de Monsieur Jean-François Cloutier) et convenir avec lui des modalités appropriées*[139].

Cette note signée de la main du Premier ministre incite à croire que le marketing de l'exécutif gouvernemental était sous son autorité directe.

En octobre 1980, les activités de perfectionnement des communicateurs gouvernementaux débutent officiellement, bien que les premiers cours aient en fait eu lieu à l'automne de l'année précédente.

Le ministère de la Fonction publique assume en entier le coût des activités de perfectionnement, tandis que les frais de voyage et de repas sont à la charge du ministère employeur. Les cours sont offerts pendant les heures normales de travail. La brochure qui recèle les informations sur le contenu des cours et l'horaire des activités se compare avantageusement avec tout ce qui se fait dans les bonnes universités américaines[140]. D'ailleurs, les objectifs d'apprentissage du cours *Marketing I* mettent en relief le besoin de sensibiliser les agents d'information à l'approche marketing, et d'étudier les possibilités d'application et les limites de cette approche dans les communications gouvernementales. Le professeur est M. Pierre Desaulniers de l'ENAP (École Nationale d'Administration Publique).

139 René Lévesque, *Directives aux membres du Conseil exécutif au sujet de la tenue de conférence de presse, l'annonce de nouvelle politique et la publication de documents*, Québec, 14 août 1980, 1 page.

140 Gouvernement du Québec, ministère de la Fonction publique, Secrétariat permanent du Conseil des directeurs de communications, *Activités de perfectionnement des communicateurs gouvernementaux*, automne 1980, Québec, 22 pages.

La mise sur pied d'un tel programme a sans aucun doute requis l'autorisation des plus hauts membres de l'exécutif gouvernemental. De plus, un tel programme ne peut être conçu dans une administration publique sans qu'il y ait eu symbiose entre l'exécutif et l'administration.

D'ailleurs, le plan d'organisation de l'administration supérieure du ministère des Communications, présenté par le Conseil du Trésor le 7 octobre 1980, se base sur l'approche marketing management utilisée par Jean Laurin. On y constate en effet que tous les départements et toutes les fonctions de l'information gouvernementale sont sous la responsabilité du sous-ministre adjoint à l'Information gouvernementale, ce dernier étant par conséquent en mesure de contrôler la gestion de l'ensemble des activités d'information de l'État et d'en répondre auprès de l'exécutif gouvernemental.

Claude Piché illustre dans *La Presse* du 1er novembre 1980 la croissance sans précédent des dépenses publicitaires du gouvernement québécois. Le journaliste, qui s'appuie sur les données de la firme spécialisée *Elliott Measurement Research,* constate qu'en 1977 le gouvernement du Québec occupait le 28e rang parmi les principaux annonceurs du Canada alors qu'en 1979, il occupait le 4e rang avec 14,3 millions de dollars de dépenses publicitaires. L'article soutient que depuis 1971 — le Québec y consacrait alors 784 000 $ — ces mêmes dépenses de publicité ont augmenté de 1,723% (1980).

Au même moment à l'Assembée nationale, l'opposition libérale insiste sur les sommes que le gouvernement a déjà engagées dans le débat constitutionnel qui s'amorce sous la forme d'une série de panneaux-réclames le long des routes québécoises. Le chef de l'opposition fait aussi référence à un article paru dans *Le Soleil* du 4 novembe 1980 dans lequel on y dénonce la publication de nombreux publi-reportages sur l'économie et la constitution par le Conseil d'expansion économique, entièrement défrayés par le gouvernement du Québec.

Le ministre des Affaires intergouvernementales répond ainsi au chef de l'opposition:

> *Je pense que non seulement nous avons comme gouvernement le devoir de faire connaître nos vues, mais c'est une obligation fondamentale devant le coup de force qui se passe maintenant et je pense que les citoyens ont le droit et le devoir d'être informés et c'est notre devoir de leur fournir les renseignements nécessaires*[141].

141 Assemblée nationale, Québec, *Journal des débats*, 21 novembre 1980, p. 286.

Pendant ce temps, une activité fébrile règne dans la préparation, par le ministère de la Fonction publique et le Secrétariat exécutif du Conseil des directeurs de communications, du programme de perfectionnement des communicateurs gouvernementaux pour l'hiver et le printemps de 1981. Cette programmation contient plusieurs nouveaux cours et s'échelonne sur 18 semaines comparativement aux 11 semaines qui prévalaient dans la programmation de l'automne 1980. Les nouveaux cours sont les suivants: *Initiation au management, Introduction à la gestion des ressources humaines, Marketing II, Relations publiques II (Études de cas), Techniques reliées aux droits d'auteur dans les activités de communications*[142].

Il est intéressant de constater que certaines des personnes-ressources mises à la disposition des communicateurs gouvernementaux lors de ces activités de perfectionnement ont été les pionniers de l'information gouvernementale, au début des années soixante, et de l'utilisation de l'approche marketing dans les communications gouvernementales, au milieu des années soixante-dix. Nous faisons ici allusion à Jean Lenoir qui donne le cours sur l'audiovisuel, qui a été un membre dynamique de l'OIPQ sous le règne de l'Union nationale entre 1966 et 1970, ainsi qu'à Claude Girard, qui fut un des premiers en 1976 à faire mention de l'approche marketing dans les communications gouvernementales.

Le 13 avril 1981, le gouvernement du Parti québécois est reporté au pouvoir.

En mai, Jean-François Cloutier, devenu maintenant coordonnateur des communications au Cabinet du ministre des Affaires intergouvernementales, écrit un document intitulé «Un défi réaliste» à l'intention de Jean-Roch Boivin, chef de Cabinet du Premier ministre. Ce document propose que le Comité des priorités assume la responsabilité générale de déterminer les grandes orientations en matière de communications gouvernementales.

Avant de poursuivre, il importe de clarifier ici le statut de Cloutier: d'octobre 1977 à juillet 1980, il est à la fois conseiller en communications au Cabinet du ministre d'État au Développe-

142 Ministère de la Fonction publique, Secrétariat exécutif du Conseil des directeurs de communications, *Activités de perfectionnement des communicateurs gouvernementaux*, hiver et printemps 1981, novembre 1980, 38 pages.

ment économique et au ministère du Conseil exécutif, président du groupe de travail OSE et chargé de projet, toujours au Conseil exécutif; de juillet 1980 à avril 1981, il est conseiller en communications et directeur du Service de communications au Cabinet du Premier ministre, Service qui relève du ministère du Conseil exécutif. En mai 1981 donc, il est attaché au ministère des Affaires intergouvernementales, pour des questions de nature budgétaire, mais au Cabinet du Premier ministre, pour des questions de nature stratégique.

Cloutier recommande une plus grande centralisation de l'information gouvernementale, et ce, au profit de l'exécutif. Les priorités de la programmation des activités de communications comprennent les politiques, les programmes, la constitution, l'option nationale ainsi que les dossiers chauds tels que celui de la négociation avec les employés des secteurs public et parapublic. De plus, afin de mettre en œuvre cette programmation avant la fin de 1982, il faudrait selon lui que le Comité restreint soit en mesure d'obtenir, dans les plus brefs délais, la liste complète de toutes les activités de communications en cours ou à venir dans les ministères et organismes gouvernementaux.

Le 12 mai 1981, Jean-François Cloutier adresse une note à MM. Jean-Roch Boivin et Michel Carpentier relativement à l'organisation du Service des communications au Cabinet du Premier ministre.

Dans cette note, Cloutier propose un regroupement des effectifs de communications au Cabinet du Premier ministre sous trois Services: la Rétroinformation, la Documentation et l'Animation et diffusion. Le Service de rétroinformation serait chargé d'évaluer quotidiennement, au point de vue qualitatif et quantitatif, la performance du gouvernement dans les médias; la Documentation aurait pour tâche de gérer les documents écrits et audiovisuels de l'exécutif gouvernemental (communiqués, discours, bandes magnétoscopiques); le Service d'animation et de diffusion serait destiné à appuyer les députés dans la réalisation de leur mandat à l'Assemblée nationale ainsi qu'en région[143]. Ce que Cloutier propose à MM. Boivin et Carpentier s'apparente au Service de communications que Charles Denis avait mis sur pied au Cabinet du Premier ministre entre 1970 et 1976.

143 Note à messieurs Jean-Roch Boivin, Michel Carpentier, de Jean-François Cloutier; objet: *De l'organisation du Service des communications du Cabinet du Premier ministre*, 12 mai 1981, p. 3.

Lorsque l'étude des crédits du ministère des Communications (1981-1982) débute le 4 juin à la Commission permanente des communications, le député libéral Jean-Claude Rivest demande au ministre si le slogan constitutionnel «Faut pas se faire avoir» a été conçu par l'administration publique québécoise sans intervention politique. Le ministre répond:

> *Il me paraît éminemment important que les hommes et les femmes politiques dans les ministères, quand vient le temps de décider des campagnes de publicité et d'information, aient un mot à dire là-dedans*[144].

La réponse du ministre ne laisse subsister aucun doute quant à la présence de l'exécutif dans la conception de la publicité gouvernementale au Québec durant cette période.

Le député Rivest demande alors au ministre d'élaborer un code de déontologie, ce à quoi Bertrand réplique qu'il est en cours de préparation. En effet, le document sur l'étude des crédits du ministère des Communications prévoit, au chapitre des orientations 1981-1982 du Conseil des directeurs de communications, la création d'un code de déontologie pour les communicateurs gouvernementaux[145].

Notons que les deux derniers documents sur l'étude des crédits, c'est-à-dire ceux des années financières 1980-1981 et 1981-1982, ont fait état des projets de clarification des notions d'information administrative et politique et d'élaboration d'un code de déontologie pour les communicateurs gouvernementaux. Cependant rien n'a été fait! Les activités d'information et de publicité gouvernementales se sont quant à elles multipliées à un rythme effarant. Plus de 700 cadres ont été formés grâce aux activités de perfectionnement des communicateurs gouvernementaux. De plus, le Conseil des directeurs de communications a assuré la planification de toutes les campagnes de publicité réalisées par l'État[146].

144 Assemblée nationale, Québec, *Journal des débats*, Commission parlementaire, Première session — 32e législature, Commission permanente des Communications, Étude des crédits du ministère des Communications, 4 juin 1981, nº 10, p. B-355.

145 Gouvernement du Québec, Ministère des Communications, *Étude des crédits 1981-1982 du ministère des Communications*, mai 1981, p. 33.

146 *Ibid.*, p. 37.

Le 16 juin 1981, Jean-François Cloutier dépose au Comité ministériel sur la révision constitutionnelle, plus communément connu sous le nom de Comité Boivin, un plan préliminaire de communications intitulé «Le Québec en état de légitime défense»[147]. Ce plan vise à créer un climat propice à la défense des intérêts du Québec, compte tenu de sa position constitutionnelle face à Ottawa, ainsi qu'à amener les personnes et les groupes favorables au gouvernement québécois à entreprendre de leur propre chef des actions de sensibilisation sur le territoire québécois. Le document comporte une liste des groupes cibles, composés d'éléments du monde syndical, des communautés corporatives et culturelles ainsi que des institutions québécoises.

Le plan d'action de l'intervention suggérée doit se réaliser en trois phases. La première, qui devra avoir lieu en juin et juillet, consiste à soutenir les actions politiques du gouvernement québécois après le jugement de la Cour suprême. La seconde, en juillet et août, doit jeter les bases d'une action à moyen terme faisant appel à une stratégie de relations publiques. La troisième, en août, septembre et octobre, consiste en une action intensive de sensibilisation orientée en fonction de la décision de Londres.

Les moyens utilisés afin de réaliser cette opération de communication feront appel à une démarche de relations publiques, en raison de l'ampleur des communications interpersonnelles requises entre les personnes et les groupes cibles qui doivent être rejoints. Toujours au chapitre des moyens de communication, la planification et la conception nécessitent un inventaire complet des moyens de communication, la réalisation de quatre sondages qualitatifs sur les groupes cibles ainsi que la mise sur pied de bureaux de presse à la Direction des communications des Affaires intergouvernementales à Québec et à la maison du Québec à Londres, ainsi que la signature d'un protocole d'entente avec le Centre des services en communications.

Cette opération de communication fera l'objet d'une évaluation effectuée par voie de rétroinformation à partir des demandes du public auprès de Communication-Québec et des réseaux de communication régionaux informels.

147 Jean-François Cloutier, *Le Québec en état de légitime défense* (plan préliminaire de communications), 16 juin 1981, 24 pages excluant l'annexe I.

Afin de superviser cette opération, Cloutier propose de faire appel au groupe de travail qui a participé à l'élaboration du plan préliminaire, constitué de personnes-ressources provenant à la fois de l'exécutif et de l'administration: Raymonde Saint-Germain et Bernard Dagenais, de la fonction publique, Jacques Cayer, Michel Dumas et Robert Mackay, du personnel politique, et lui-même, un hybride attaché à la fonction publique mais toujours à l'emploi de l'exécutif. Il insiste sur le choix de ces personnes puisque, selon lui, elles sont en mesure, par leur connaissance de l'administration publique, de faire fonctionner la «machine» sur le plan politique et administratif.

Les opérations relèveraient du ministère des Affaires intergouvernementales, port d'attache officiel de Cloutier.

En guise de conclusion, l'auteur recommande au Conseil des ministres d'accorder la priorité au programme de communications sur la constitution jusqu'à la fin du mois d'octobre 1981.

Dans une entrevue accordée au *Devoir* le 7 juillet, le nouveau ministre des Communications, Jean-François Bertrand, fait valoir l'importance de coordonner l'information gouvernementale sur le plan politique. Il met en relief les affrontements de Jean Laurin avec le Conseil des directeurs de communications, la difficulté qu'éprouve le CDC à s'entendre sur la définition d'une politique d'ensemble pour les communications et la difficulté d'arrêter les priorités de l'exécutif gouvernemental[148]. Cet exercice du ministre peut être considéré comme un ballon d'essai destiné à tester les réactions de la presse et du public avant de déposer un projet de centralisation de l'information gouvernementale plus accentué.

Jean Laurin quitte son poste à l'Information gouvernementale le 4 août 1981 pour devenir sous-ministre adjoint au ministère du Revenu. Son départ est attribuable à deux facteurs. Premièrement, le Conseil des directeurs de communications voulait prendre ses distances à son égard parce que, tout en étant président du Conseil, il se rapportait à l'exécutif en tant que sous-ministre adjoint à l'Information gouvernementale. En somme, les directeurs de communications l'accusent de jouer un double jeu et l'incitent à abandonner une de ses deux fonctions.

148 Bernard Descôteaux, «Jean-François Bertrand, l'information gouvernementale doit être coordonnée au niveau politique», *Le Devoir*, 7 juillet 1981, p. 6.

Deuxièmement, son projet d'offrir gratuitement les téléscripteurs et l'information gouvernementale à tous les médias qui le désirent suscite des craintes très vives dans le milieu journalistique mais aussi chez le Premier ministre, lui-même ancien journaliste.

Jean Laurin aura été l'instigateur principal de la réforme de l'information gouvernementale du 12 juillet 1978. On doit lui attribuer la paternité du mécanisme de l'avis préalable, de la réforme dans l'attribution des contrats de publicité, de l'agence de placements médias qui permet à l'État d'économiser des sommes importantes qui, auparavant, allaient en commissions aux agences de publicité, ainsi que des activités de perfectionnement pour les communicateurs gouvernementaux, sous la tutelle du CDC qu'il avait lui-même créé.

Le 26 août 1981, le gouvernement du Québec, par voie de décret, ordonne la mise en œuvre du programme de communications portant sur la révision constitutionnelle. Le marketing de l'exécutif gouvernemental est donc confirmé dans une telle démarche. La même journée, le groupe de travail sur les communications constitutionnelles[149] transmet au Comité Boivin la liste des coûts et des actions de communications recommandées pour livrer la bataille constitutionnelle[150]. Le coût de l'opération est estimé à 1 995 307 $. Cependant, les auteurs du rapport précisent que c'est une estimation prudente vu les délais de réalisation très courts et l'ampleur des moyens de communication qui seront déployés par l'adversaire.

Les actions recommandées s'étaleront sur trois phases: l'étape pré-jugement, l'étape jugement et le post-débat entre Québec et Londres. Cette opération de marketing de l'exécutif met en œuvre toutes les ressources administratives de l'État (fonctionnaires et services gouvernementaux) nécessaires à la promotion du choix de l'exécutif.

Dans l'étape pré-jugement[151], l'approbation des brochures générales et sectorielles relève du sous-ministre aux Affaires

149 Gouvernement du Québec, *Décret # 2265-81 concernant un programme de communication relatif à la révision constitutionnelle*, 26 août 1981, le greffier du Conseil exécutif, Louis Bernard.

150 Groupe de travail sur les communications constitutionnelles, *Liste et coût des actions de communications recommandées*, 26 août 1981, s.p. Un devis de communication ainsi que quatre annexes totalisant 64 pages accompagnent ce document.

151 L'étape pré-jugement consiste ici à établir un contact suivi avec les publics cibles à l'aide des outils de communication appropriés.

intergouvernementales, Robert Normand, tandis que la distribution est effectuée par Communication-Québec. Au niveau de la publicité, l'approbation des contenus relève aussi de Robert Normand. L'emploi de Communication-Québec pour véhiculer de l'information sur la position de l'exécutif gouvernemental témoigne d'une ingérence de l'exécutif dans le champ de l'administration publique mais aussi de la complicité de cette dernière. D'ailleurs, la coordination administrative de cette portion de l'opération par Communication-Québec est assurée par son directeur général, François Reny.

Par contre, la coordination politique, dans cette étape comme dans celle du jugement, relève de Robert Mackay du Cabinet du Premier ministre. Au moment du jugement, on est en mesure de percevoir clairement la relation constante qui prévaut entre l'exécutif gouvernemental et l'administration publique. «Il est impératif qu'une liaison soutenue soit maintenue entre la coordination politique et la coordination générale des opérations constitutionnelles»[152].

La stratégie qui se dégage des devis de communication qui accompagnent ce document vise à alerter la population du Québec des menaces inhérentes au projet de rapatriement de la constitution et à l'amener à manifester son appui à la position constitutionnelle du Québec[153]. Selon le groupe de travail, l'axe de communication devra être clair, dramatique, crédible, suscitant ainsi une mobilisation générale. Le public cible constitue la population en général, plus particulièrement les femmes de 30 à 45 ans et les jeunes de 18 à 30 ans ayant un faible niveau de scolarité (12 ans et moins). Le champ communicationnel fait référence aux perceptions générales et particulières de la population ainsi qu'à leurs attentes. De plus, le groupe de travail souligne la notoriété de deux campagnes publicitaires, l'une reliée à la constitution, «Faut pas se faire avoir», et l'autre à la récente élection générale, «Faut rester forts». C'est dans l'atmosphère fébrile qui caractérise le groupe de travail sur les communications constitutionnelles que s'achève la première phase de l'âge d'or du marketing gouvernemental au Québec.

152 *Ibid.*, p. 24.

153 Devis de communication préparé pour la sélection d'une agence de publicité: *Le Québec en état de légitime défense*, 17 pages.

8

La deuxième phase, 1981-1985

Le Premier ministre dépose un mémoire au Conseil des ministres concernant l'information gouvernementale, mémoire qui sera approuvé par décision du Conseil des ministres le 20 octobre 1981[154]. Ce mémoire constitue l'acte de création du Comité ministériel des communications (CMC), plus communément appelé Comité ministériel permanent sur les communications (CMPC) bien qu'il n'ait jamais eu le statut de comité permanent. Ce document confirme sans équivoque la deuxième phase d'une centralisation poussée de l'information gouvernementale, et ce, au profit de l'exécutif.

M. Lévesque, après avoir commenté l'évolution de l'information gouvernementale depuis l'OIPQ jusqu'à la réforme du 12 juillet 1978, tire la conclusion suivante:

> *Nous devrons reconnaître que ce mécanisme a amélioré la situation qui n'en demeure pas moins insatisfaisante à certains égards, notamment sur les modalités permettant à l'Exécutif de préciser, pour les besoins de l'appareil administratif, ses orientations en matière d'information gouvernementale*[155].

154 *Mémoire au Conseil des ministres concernant l'information gouvernementale,* le Premier ministre, Québec, 15 septembre 1981, reçu au Secrétariat général, 14 octobre 1981, 5 pages. Ce document est accompagné de la décision n° 81-247, sujet: *L'information gouvernementale,* 20 octobre 1981, Réf.: 222-1.

155 *Ibid.,* p. 2.

Il légitimise son intention en s'appuyant sur ce qui se fait ailleurs: en France, le Service d'information et de diffusion relève du Premier ministre; en Angleterre, il relève du *Central Office of Information*.

Le mandat du CMPC est de définir les grandes orientations du gouvernement en matière de communications gouvernementales à court, moyen et long termes ainsi que de voir à ce que l'appareil administratif s'y conforme. Le comité est composé du ministre des Communications, du président du Conseil du Trésor, du leader parlementaire, du ministre d'État à la Condition féminine et du sous-ministre des Communications.

Au cours des premiers mois de l'année 1982, Claude Plante succède à Jean Laurin comme sous-ministre adjoint à l'Information gouvernementale. Il est considéré comme un homme compétent et un fidèle partisan du PQ.

Lors d'une discussion sur l'étude des crédits du ministère des Communications (1982-1983), le 6 avril 1982, l'opposition libérale se plaint de la présence croissante d'ex-chefs de Cabinet aux postes clés de la haute direction du ministère ainsi que de la création du CMPC qui, selon elle, constitue un effort de politisation de l'information gouvernementale.

Durant la même journée, au moment de l'étude du programme de gestion interne et de soutien du ministère, le député libéral Michel Bissonnette revient à la charge concernant les nominations partisanes de fonctionnaires au MCQ, et notamment celle de Mme Guay comme directrice de la recherche:

> *Dans le cas de Mme Michèle Guay, nous avons évidemment été un peu surpris que, dans son formulaire d'emploi, dans son curriculum vitae, elle soumettait ses états de service au sein du Parti Québécois*[156].

Le ministre réplique:

> *L'ensemble des fonctionnaires qui œuvrent au sein du gouvernement du Québec ont tous, plus ou moins, selon leur intérêt, leur motivation pour la politique, le loisir de participer aux activités de quelque formation que ce soit, à la condition bien sûr, de respecter la Loi sur la fonction publique*[157].

156 Assemblée nationale du Québec, *Journal des débats*, commission parlementaire, Troisième session - 32e législature, Commission permanente des communications, Étude des crédits du ministère des Communications, 6 avril 1982, nº 74, p. B-3342.

157 *Ibid.*, p. B-3343.

Le député libéral interroge également le ministre sur les nominations de Claude Plante au poste de sous-ministre adjoint à l'Information gouvernementale, de Pierre Lampron à titre de directeur de la planification, de la programmation et de l'évaluation et de Adélard Guillemette nommé directeur général du développement et des politiques. Claude Plante a rempli de nombreuses fonctions politiques pour le Parti québécois, dans l'opposition de 1970 à 1976 ainsi que dans plusieurs ministères depuis 1976. Les deux autres hommes ont déjà occupé un poste d'attaché politique: M. Lampron dans le Cabinet du ministre Denis Vaugeois et M. Guillemette dans celui du ministre des Communications.

De plus, l'opposition reproche à l'Office du recrutement et de la sélection du personnel du ministère des Communications d'avoir constitué, pour la nomination de Pierre Lampron, un comité d'évaluation composé, outre les sous-ministres Pierre-A. Deschênes des Communications et Alain Dompierre du ministère du Revenu, de Mme Michèle Guay qui a occupé des fonctions politiques durant la même période que M. Lampron.

Bien que ces nominations aient été effectuées selon les normes et procédures en vigueur dans la fonction publique québécoise, il n'en demeure pas moins que ces personnes avaient fait partie de l'exécutif gouvernemental dans un passé récent. Le fait qu'elles aient été en mesure de joindre les rangs de l'administration publique sous leur propre régime montre l'étroite relation qu'établit l'exécutif gouvernemental avec le ministère des Communications, auquel il voue une attention particulière. Le document sur l'étude des crédits indique que l'exécutif conçoit de plus en plus l'information et les communications gouvernementales dans une perspective de développement de la société québécoise.

> *Convaincu que les communications constituent et constitueront de plus en plus un facteur déterminant dans le développement de la société québécoise..., le ministère a inscrit un mot d'ordre en tête de liste de ses priorités: «Occuper la place qui lui revient»*[158].

Afin d'atteindre cet objectif, l'exécutif se doit de centraliser l'information gouvernementale par l'intermédiaire du CMPC.

158 Gouvernement du Québec, ministère des Communications, *Étude des crédits du ministère des Communications 1982-1983,* avril 1982, p. 9-10.

Par ailleurs, le document sur l'étude des crédits laisse entrevoir un rapprochement du Conseil des directeurs de communications et de l'exécutif gouvernemental.

Après les affrontements entre les membres du CDC et le sous-ministre adjoint Laurin, qui ont en partie provoqué son départ et favorisé une plus forte centralisation de l'information gouvernementale par le biais du CMPC, on note qu'une entente existe maintenant entre l'exécutif et l'administration au chapitre des orientations du gouvernement et de l'État en matière d'information gouvernementale.

Dans cette même veine de collaboration, le CDC ignore, dans son bilan des activités, ce qui constituait l'une de ses priorités depuis sa création en 1978, c'est-à-dire la clarification des notions d'information administrative et politique ainsi que l'élaboration d'un code de déontologie pour les communicateurs gouvernementaux.

Laurin admettra d'ailleurs par la suite qu'on ne peut pas faire de distinction entre l'information administrative et l'information politique, car tout est politique, même l'information administrative:

> *Dans tous les cas, je ne voulais pas perdre mon temps dans de la sémantique pendant un an de temps pour diluer mes efforts personnels et ceux d'un paquet de monde à faire des distinctions entre l'information administrative et politique; ce qui n'existe pas*[159].

C'est aussi l'opinion de Louis Bernard:

> *Oui, il y a des règles de comportement, des rôles respectifs de l'exécutif politique, si on veut, et de l'administratif. Il y a des règles de comportement, mais légalement, il faut bien se rendre compte que le ministre a pleine autorité sur son ministère et il est la première autorité administrative de son ministère*[160].

Enfin, au chapitre du marketing des services gouvernementaux, l'*Étude des crédits (1982-1983)* fait valoir les efforts entrepris par la Direction de la commercialisation et de la distribution du MCQ afin d'accroître l'accessibilité aux documents gouvernementaux, et ce, à l'aide d'une stratégie globale de commercialisa-

159 *Entrevue avec Jean Laurin, op. cit.*, p. 6-7.
160 *Entrevue avec Louis Bernard,* Québec, 12 novembre 1986, p. 4-5.

tion qui comprend des études de marché, ainsi que de la publicité et de la promotion destinées à augmenter la diffusion de ces documents[161].

De son côté, Communication-Québec assure l'accessibilité aux renseignements sur les services gouvernementaux, en plus de garantir, en matière d'information et de rétroinformation, la coordination interministérielle, d'assister les ministères dans la diffusion régionale de l'information tout en analysant les besoins de la population.

Selon l'*Étude des crédits*, Communication-Québec compte, en avril 1982, dix-neuf bureaux et prévoit en ouvrir trois autres. Le MCQ perçoit l'évolution de cet organisme en ces termes:

> *Ainsi, Communication-Québec suit une tendance de plus en plus manifeste de l'État québécois de ramifier ses services à une échelle où les citoyens se reconnaissent un lieu d'appartenance*[162].

Pour la première fois, nous constatons que le Centre de diffusion et de coordination de l'information de Communication-Québec a conçu une campagne de marketing des causes sociales, et ce, dans le cadre de l'année internationale des personnes handicapées.

Un tel geste prouve qu'un organisme comme Communication-Québec est aussi en mesure de réaliser un marketing qui n'est pas toujours celui de l'exécutif gouvernemental et des services gouvernementaux. De telles campagnes, en plus d'être des plus louables sur le plan social, procurent des retombées politiques non négligeables pour l'exécutif dans l'optique d'une campagne électorale permanente.

Au cours du même mois, le *Conference Board of Canada* publie le compte rendu d'un congrès tenu à Toronto le 25 novembre 1981 sur la «publicité plaidoyer» *(Advocacy Advertising)*, qu'il définit en ces termes:

> *Advocacy Advertising may be defined as advertising that attempts to sustain or change public opinion on long-term fundamental values underlying social and political institutions. In a narrower sense, it is concerned with the propagation of specific policy positions and strategy*

161 *Étude des crédits 1982-1983, op. cit.*, p. 30.
162 *Ibid.*, p. 35.

options on issues of public importance to support the interests of the sponsor while downgrading his opponents and denying the accuracy of their facts[163].

Sur le plan politique, le compte rendu du *Conference Board* signale que le gouvernement fédéral et celui du Québec ont largement fait appel à la publicité plaidoyer lors du débat sur la constitution.

Dans le cas qui nous préoccupe, la publicité plaidoyer est une composante à part entière du marketing de l'exécutif gouvernemental qui fait appel à la propagande sociologique et politique.

Lorsque le 7 septembre 1982 le Comité ministériel de coordination des négociations dans les secteurs public et parapublic remet un plan de communications intitulé «Le coup d'envoi des négociations par le gouvernement»[164] au Cabinet du Premier ministre, l'exécutif gouvernemental tente d'atténuer l'affrontement avec les fonctionnaires. Le document a été conçu et rédigé par Jean-François Cloutier, maintenant coordonnateur du Service d'information au Conseil du Trésor.

Ce plan de communications identifie les deux messages à livrer à la population du Québec au cours des troisième et quatrième semaines de septembre: le message économique du Premier ministre et celui du partage d'une décroissance de richesses dans les prochaines négociations. Afin de réaliser l'opération, le comité propose trois phases d'approches communicationnelles intégrées dans une approche stratégique:

Cette approche se caractérise par un étalement de temps forts suivi d'espaces temps tampons permettant d'absorber les réactions des syndicats en dissipant la confusion et en faisant ressortir le contenu propre à chacun des discours[165].

163 The Conference Board of Canada, *Advocacy Advertising: Propaganda or Democratic Right?*, edited by Duncan M^C Dowall, A Report from the Public Affairs Research Division of the Conference Board of Canada, May 1982, Highlights VII.

164 Comité ministériel de coordination des négociations dans le secteur public et para-public, *Le coup d'envoi des négociations par le gouvernement* (Plan de communications: Hypothèses de cheminement), signé par Jean-François Cloutier, 7 septembre 1982, s.p.

165 *Ibid.*, approche, C_1 et C_2.

Le document du comité interministériel est accompagné d'un échéancier qui représente le cheminement critique des actions à suivre par les ministres impliqués dans la négociation auprès de la presse écrite et électronique selon trois hypothèses respectives. Ce plan de communications démontre à nouveau clairement l'utilisation de l'approche marketing management par l'exécutif gouvernemental en matière d'information.

Un article de la Presse canadienne publié dans *La Presse* du 19 octobre 1982 fait état de l'inquiétude manifestée par la Fédération professionnelle des journalistes du Québec (FPJQ) à l'égard de l'utilisation de noms de journalistes par le gouvernement québécois dans sa publicité relative aux négociations dans les secteurs public et parapublic. Afin de justifier son exercice de marketing auprès de la population et d'obtenir son appui en condamnant les employés du secteur public, l'exécutif gouvernemental a en effet utilisé, dans ses annonces publicitaires parues dans les grands quotidiens, des articles de presse où apparaissent les noms des journalistes qui les ont écrits. La présidente de la FPJQ, Mme Raymonde Provencher, soutient que l'utilisation de noms de journalistes pose un sérieux problème d'éthique.

Cette opération de l'exécutif gouvernemental découle du plan de communications produit par Cloutier et le Comité ministériel de coordination des négociations dans le secteur public.

Notons que ce comité est composé des ministres Bérubé, Parizeau, Laurin, Johnson, Leblanc-Bantey, du sous-ministre au Conseil du Trésor, Tessier, du négociateur Lucien Bouchard et de Jean-Roch Boivin, chef de Cabinet du Premier ministre.

Dans une allocution prononcée le 19 novembre 1982 à Montréal, le ministre des Communications, Jean-François Bertrand, profite de l'occasion pour légitimer l'utilisation de la publicité gouvernementale à même les fonds publics en invoquant la relance d'une économie en crise. De plus, le ministre brandit les résultats d'un sondage, mené récemment par la firme *Goldfarb* de Toronto et qui conclut que 70% des Québécois interrogés pensent que la publicité gouvernementale répond à un besoin, et que 86% d'entre eux considèrent cette publicité comme informative. Selon Bertrand, la question de savoir si le gouvernement favorise la promotion de ses propres politiques plutôt que l'information exigée par les citoyens est un faux problème parce que le parti politique qui forme le gouvernement s'est engagé à légiférer.

M. Bertrand voit dans la publicité gouvernementale la réponse à un besoin des Québécois. En plus du sondage *Goldfarb,* son argument s'appuie sur les 600 000 demandes de renseignements adressées par la population à Communication-Québec en 1981-1982. Enfin, le ministre conclut que la publicité gouvernementale n'est pas de la propagande parce qu'elle reflète l'expression de politiques gouvernementales.

On constate que le ministre refuse systématiquement de faire la différence entre le marketing de l'exécutif gouvernemental et celui des services gouvernementaux alors que, selon nous, quand la publicité gouvernementale sert à promouvoir des politiques, elle devient par le fait même la publicité de l'exécutif.

Au même moment, *Le Devoir* rapporte que les contribuables auraient déboursé environ 20 millions de dollars pour financer les quelque 200 sondages d'opinion et recherches sociologiques commandés par le gouvernement péquiste depuis son accession au pouvoir en 1976.

D'ailleurs, c'est au cours de l'année 1982 que Marcel Giner, spécialiste des sondages au ministère des Affaires sociales, démissionne avec fracas de son emploi, pour affirmer ensuite publiquement que le Parti québécois se sert des nombreux sondages réalisés par les ministères afin d'ajuster ses politiques aux désirs de l'opinion publique et ainsi accréditer son image de bon gouvernement auprès de la population.

Une autre réorganisation administrative du ministère des Communications par le Conseil du Trésor, entérinée le 15 mars 1983, a pour effet général de centraliser les opérations du ministère des Communications.

En effet, le Secrétariat du CMPC n'est plus directement attaché au sous-ministre en titre mais plutôt placé sous l'autorité du sous-ministre adjoint à l'Information gouvernementale déjà secrétaire du CMPC. La primauté du Secrétariat du CMPC sur le Secrétariat du CDC et la chute de ce dernier sont les points saillants de cette réorganisation administrative. De plus, la Direction générale de la coordination succède à celle des moyens en communication qui accroît son volume de responsabilités avec la venue de la Direction de la publicité et des expositions, à laquelle on a intégré la gestion publicitaire et la toute récente Direction de la diffusion des documents audiovisuels.

À la lumière des discussions sur l'*Étude des crédits du ministère des Communications (1983-1984)*[166] à la commission permanente sur les communications le 19 avril 1983, il est facile de constater que le CMPC a pris son envol lentement. À ses débuts, le Comité ministériel n'était pas supporté par une organisation permanente; c'était le sous-ministre adjoint à l'Information gouvernementale, Claude Plante, qui devait transmettre à chacune des directions responsables de la coordination à l'intérieur du ministère les volontés du CMPC. Ce mode de fonctionnement était très lourd et laissait place à une interprétation des volontés du Comité interministériel par les directions administratives qui en profitaient pour faire la promotion de leurs propres opérations bureaucratiques. Ce n'est qu'à la fin de 1982, avec la création du Secrétariat du CMPC, que la volonté des ministres pouvait être comprise par l'administration de toutes les directions du ministère[167].

L'exécutif gouvernemental ne cache pas ses intentions d'accroître la diffusion et la pénétration de son produit.

Dans son bilan, le document sur l'étude des crédits fait état de l'implantation d'une Division de marketing à la Direction de la commercialisation et de la distribution qui a mis l'accent sur les études de marché et sur d'autres activités d'appui à la vente des publications gouvernementales. Une telle démarche s'inscrit à l'intérieur d'un marketing des services gouvernementaux. Notons que, lors du dépôt du document sur l'étude des crédits 1983-1984, Communication-Québec dispose de 21 bureaux sur l'ensemble du territoire québécois.

On constate que le gouvernement du Parti québécois excelle depuis 1976 dans la conception, dans l'application, et dans l'intégration des deux types de marketing, c'est-à-dire celui de l'exécutif et celui des services gouvernementaux.

166 Assemblée nationale, Québec, *Journal des débats,* Commission parlementaire, Quatrième session - 32e législature, Commission permanente des Communications, *Étude des crédits du MCQ,* 19 avril 1983, nº 15, p. B-821.

167 *Entrevue avec Claude Lecavalier,* directeur du Service de la publicité et des relations publiques, MCQ, Québec, 25 septembre 1986.

En juin 1983, le député libéral de Westmount à l'Assemblée nationale, Richard French, dépose un projet de loi destiné à régir la publicité et les sondages gouvernementaux[168].

Le projet de loi propose que toute publicité émanant d'un organisme gouvernemental soit interdite en période électorale ou référendaire. Cependant, cette interdiction ne s'applique pas à la publicité faite par ou pour le compte du directeur général des élections, ou par un organisme gouvernemental dans le cas d'une urgence.

De plus, l'article 21 permet qu'avec l'assentiment de dix de ses membres l'Assemblée nationale puisse être convoquée pour entendre le responsable de la publicité au sein de l'organisme gouvernemental, le ministre responsable ou toute autre personne que la commission parlementaire juge utile d'entendre relativement à l'exercice du marketing gouvernemental. Cet article constitue dans son essence un *gate keeper*[169] pour la population et ses élus.

Le projet de loi est toutefois mis au rancart, écartant ainsi momentanément une action novatrice destinée à réglementer l'intrusion du marketing gouvernemental dans la vie quotidienne des Québécois.

Au cours du second trimestre de 1983, une autre analyse des perceptions des Québécois en matière de communications a été effectuée par André Labrie et Daniel Cloutier pour le compte du ministère des Communications. Elle s'appuie sur 46 sondages réalisés entre 1969 et 1982 dont 30 entre 1977 et 1982 sous l'administration péquiste.

Ces sondages font ressortir, entre autres caractéristiques, que les francophones écoutent davantage la télévision que les anglophones, et que les francophones sous-scolarisés sont de plus grands consommateurs de télévision que leurs compatriotes scolarisés. En somme, ce type d'analyse s'inscrit admirablement bien dans l'approche marketing pratiquée alors par le gouvernement et l'État québécois.

168 Assemblée nationale, Cinquième session, - 32e législature, Projet de loi nº 197, *Loi sur les sondages et la publicité gouvernementale,* Éditeur Officiel du Québec, 1984, Présentation Richard D. French, député de Westmount.

169 *Gate keeper:* ce mot tiré de la terminologie anglaise, sans équivalent français connu, est utilisé en communication de masse afin de désigner un mécanisme de contrôle ou de surveillance sur des activités d'information.

Le 23 août 1983, Jean-François Cloutier, maintenant coordonnateur général des communications au Secrétariat au Développement économique, transmet une note à Jacques Parizeau, président du Comité ministériel permanent du développement économique (CMPDE). Cette note fait ressortir, tant au niveau du ministre des Communications qu'à celui du coordonnateur général des communications pour le CMPDE, l'échec du CMPC comme coordonnateur et diffuseur de la campagne sur la relance économique.

Le ministre des Communications serait disposé à nommer Jean-François Cloutier coordonnateur général des communications gouvernementales et à le recommander fortement comme sous-ministre adjoint à l'Information gouvernementale.

L'actuel sous-ministre adjoint à l'Information gouvernementale, Claude Plante, aussi secrétaire du CMPC, ainsi que son adjoint, Claude Lecavalier, secrétaire au Secrétariat du CMPC, sont contestés. Claude Plante n'est pas reconnu comme un homme qui a de la poigne mais plutôt comme un conciliateur, tandis que Claude Lecavalier est un homme de conception et non d'opération. De plus, Claude Plante prône l'emploi d'une seule campagne de communications pour toutes les activités gouvernementales sous le thème «On a tout à gagner», ce qui ne fait pas l'unanimité au Conseil des ministres.

Quelques jours plus tard, une autre note est transmise à Jacques Parizeau par Cloutier qui expose les opinions émises par les ministres au CMPDE lors de leur réunion du 16 août en regard de l'orientation et de la gestion des campagnes de communications du gouvernement.

Pour sa part, le ministre des Communications reste sur ses positions:

> *La coordination des communications en matière de relance économique ne peut se faire que d'un endroit, du CMC*[170].

Quant au ministre de la Science et de la Technologie, membre du CMPDE et du CMPC (ou CMC), au ministre de l'Industrie et du Commerce, membre du CMPDE, au whip en chef du

170 Note à Jacques Parizeau, président du CMPDE, du: Secrétariat au développement économique, objet: *Sommaire des consultations menées auprès des ministres à l'issue du CMPDE du 16 août dernier,* 29 août 1983, p. 1.

gouvernement et au ministre délégué à l'Administration, membres du CMPC, au ministre délégué à la Condition féminine, ex-membre du CMPC, et au ministre de la Main-d'Oeuvre et de la Sécurité du Revenu, tous remettent en question l'actuelle approche de communications déployée par le CMPC.

La révolte gronde au sein des ministres membres du CMPDE et de certains membres du CMPC.

Dans sa seconde note, Cloutier recommande au président du CMPDE de convoquer une réunion spéciale du CMPDE et du CMPC avant la tenue du Conseil des ministres spécial de Mégantic-Compton, et que l'ordre du jour de cette réunion ouvre la voie à une nouvelle formulation du plan préliminaire de communications du développement économique.

C'est dans une telle conjoncture que Jacques Parizeau dépose le 6 septembre 1983 un mémoire au CMPDE sur le programme de communications 1983-1985. Ce mémoire fait suite aux critiques émises par les ministres membres du CMPDE, à leur désir de prendre en main le programme de communications à caractère économique du gouvernement. Il fait état des signes d'essoufflement que la population perçoit dans le discours et l'action du gouvernement québécois; il souligne également l'importance de convaincre la population du bien-fondé des initiatives économiques gouvernementales. Les publics cibles auxquels s'adresse ce document sont répartis à l'intérieur de tous les secteurs de l'économie québécoise. Par ailleurs, l'objectif fondamental de ce mémoire «est de démontrer à la population, par une pluralité de moyens à caractère informatif puis publicitaire, que c'est l'actuel gouvernement qui est le premier responsable de la reprise économique au Québec» [171].

Une telle conception de l'information gouvernementale s'apparente à la «publicité plaidoyer» ainsi qu'au concept de propagande politique, parce qu'elle tente d'influencer par la voie d'un message suggestif les attitudes et les comportements des masses en faisant appel à des techniques persuasives.

Le document met aussi en relief la disponibilité des nouveaux outils de rétroinformation.

171 Mémoire au CMPDE de Jacques Parizeau, président du CMPDE, objet: *Programme de communications 1983-1985,* p. 8.

Depuis maintenant près de deux ans, une expertise bien particulière en matière de rétroinformation s'est développée au sein de l'appareil gouvernemental, particulièrement au cours de la ronde de négociation 1982-83. Ces dernières semaines, le modèle mathématique et les outils qui nous permettent de mesurer de façon quotidienne, hebdomadaire, mensuelle et annuelle l'impact médias des initiatives du gouvernement du Québec ont été revus et corrigés afin de permettre une lecture comparative entre les impacts des initiatives du Québec et d'Ottawa en matière de développement économique. Ces outils, en plus de permettre d'évaluer la performance média de chacun des ministères québécois et canadiens à vocation économique, donneraient aux membres du CMPDE ou aux titulaires ministériels concernés le moyen d'opérer de rapides corrections de tir, le cas échéant[172].

Ce système de rétroinformation relève du marketing de l'exécutif gouvernemental parce qu'il consiste à recueillir l'opinion de la population face aux actions de l'exécutif.

En guise de conclusion, le mémoire recommande, entre autres choses, de regrouper le groupe de travail sur le développement économique au ministère des Communications, d'informer le CMPC des décisions prises concernant la mise en œuvre du programme de communications 1983-1985 du CMPDE et de demander au président du CMPDE de préparer un décret pour adoption par le Conseil des ministres qui obligerait les ministres à transmettre au secrétaire du développement économique la liste complète des projets autorisés dont ils sont maîtres d'œuvre.

Tout au cours de l'automne 1983, on assiste à des discussions animées concernant l'orientation que doit prendre l'information gouvernementale et les acteurs qui doivent la gérer. C'est dans un tel contexte que Jean-François Cloutier, l'actuel coordonnateur des communications au Secrétariat du développement économique, reçoit l'appui du CMPDE et du ministre des Communications comme prochain sous-ministre adjoint à l'Information gouvernementale. Ce dernier reçoit un appel de Jean-François Bertrand qui lui dit:

J'ai parlé à Monsieur Lévesque, j'ai parlé à Monsieur Bernard, ça va se faire dans trois semaines au moment où Claude Plante aura ses feuilles jaunes pour faire autre chose[173].

172 *Ibid.*, p. 12.

173 *Entrevue avec Jean-François Cloutier, op. cit.*, p. 6-7.

Cloutier poursuit:

> *Ce qui s'est passé c'est dans les jours qui ont suivi. J'ai été appelé aux communications, j'ai rencontré Plante, il était un peu froid, mais ce n'était pas mon problème; c'était les relations entre lui et Bertrand et ensuite il y a eu transfert des dossiers, Plante m'a donné ses dossiers, on a même eu la rencontre d'échanges des dossiers et ce qu'on m'a expliqué, c'est qu'il y a eu un lobby fait par Robert Mackay et les anciens de l'opposition qui disaient qu'il y a eu un lobby contre Claude Plante [...] Alors ils ont convaincu Monsieur Lévesque que c'était une manœuvre pour faire tomber Claude Plante, ce qui n'était pas le cas; ils ont convaincu aussi Monsieur Lévesque que Monsieur Parizeau voulait centraliser de son côté la communication*[174].

C'est ainsi que le Premier ministre a changé d'idée.

Ce sont donc MM. Lévesque et Mackay qui ont décidé d'accorder le poste de sous-ministre adjoint à l'Information gouvernementale à Jean-Claude Picard plutôt qu'à Jean-François Cloutier.

Jean-Claude Picard est donc nommé sous-ministre adjoint à l'Information gouvernementale le 12 novembre 1983. Ce dernier, ancien journaliste, était, depuis plus d'un an, directeur de Cabinet du ministre des Affaires culturelles.

Le lendemain, *La Presse* et *Le Devoir* font état de la nomination de Picard. Louis Falardeau dans *La Presse* dit ce qui suit:

> *Il n'est pas étonnant dans ces circonstances que le gouvernement ait choisi de confier cette tâche à un politique plutôt qu'à un fonctionnaire de carrière*[175].

Le Devoir, sous la plume de Bernard Descôteaux[176], suggère que la nomination de Jean-François Cloutier suscitait les plus vives craintes de la part des Services de communications des ministères. Il semble que la nomination de Jean-Claude Picard soit un compromis entre les deux conceptions qui s'opposaient depuis septembre 1983, c'est-à-dire celle du Comité ministériel sur la communication et celle du Comité ministériel permanent sur le développement économique.

174 *Ibid.*, p. 7.

175 Louis Falardeau, «Jean-Claude Picard Sous-ministre adjoint aux communications», *La Presse,* 3 novembre 1983, p. A-11.

176 Bernard Descôteaux, «Jean-Claude Picard nommé Sous-ministre adjoint à l'information gouvernementale», *Le Devoir*, 3 novembre 1983, p. 7.

Jacques Bouchard et Pierre Gravel dévoilent dans *La Presse* le témoignage anonyme d'un fonctionnaire.

> *Les tentatives du gouvernement de centraliser sous le nouveau sous-ministre adjoint la responsabilité de l'information gouvernementale nous inquiètent beaucoup. Même si, théoriquement, le nouveau titulaire n'est pas partisan, la manœuvre ne trompe personne. Ça ressemble étrangement à une opération visant à faire du capital politique au gouvernement du Parti Québécois*[177].

Le poste de sous-ministre adjoint à l'Information gouvernementale a en effet été confié à un membre du personnel politique; aucun doute ne subsiste maintenant quant aux volontés de l'exécutif de transmettre et d'obtenir une rétention positive à l'égard de ses messages.

En janvier 1984, M. Jean-Pierre Gagnon devient secrétaire du Secrétariat du CMPC. Son mandat est clair, il faut réaliser le plan de communications approuvé par le Conseil des ministres.

Le Devoir, dans son édition du 2 février, mentionne que les jeunes libéraux du Québec veulent faire interdire le message publicitaire gouvernemental «Bravo Québec». Publié la dernière semaine de janvier 1984 dans plusieurs quotidiens du Québec, ce message dresse un bilan des réalisations du gouvernement du Parti québécois en 1983: 40 000 mises en chantier et 121 000 emplois créés. Or, les jeunes libéraux reprennent le débat lancé par leur chef Robert Bourassa qui affirme que les statistiques officielles du ministère de l'Industrie et du Commerce pour 1983 révèlent que seulement 45 000 emplois ont été créés. Ils concluent que cette annonce publicitaire est non seulement partisane mais aussi mensongère et réclament l'intervention du président des élections afin de la faire interdire.

Pendant ce temps, dans l'enclave que constitue l'exécutif gouvernemental, Jean-François Bertrand transmet le 10 février 1984 un mémoire au Conseil des ministres concernant les programmes de communications 1984-1985[178] ainsi qu'une note séparée très élaborée à l'attention du Premier ministre sur ces

177 Jacques Bouchard, Pierre Gravel, «Information ou propagande gouvernementale», *La Presse*, 4 novembre 1983, p. A-4.

178 Mémoire au Conseil des ministres, de Jean-François Bertrand, objet: *Programme de communications 1984-1985*, 10 février 1984, 2 pages.

programmes de communications provenant des ministres siégeant au CMPC. Alors que ce mémoire ne fait que décrire la table des matières des programmes, la note en recèle tout le contenu. On se référera ici uniquement à la note envoyée au Premier ministre[179].

Cette note expose à M. Lévesque la conjoncture économique et sociale québécoise par rapport à la conjoncture occidentale, le climat de reprise économique qui se fait sentir, les effets bénéfiques du plan de relance de novembre 1983, l'assainissement des finances publiques ainsi que les répercussions positives espérées des fêtes 1534-1984 et de la visite du pape prévue pour l'été 1984, année de «retrouvailles nationales» selon Bertrand. En revanche, les ministres mettent en garde le Premier ministre contre l'absence d'un discours reflétant la cohérence de l'ensemble de l'action gouvernementale, contre la perte de crédibilité du gouvernement, contre la détérioration des relations avec la presse ainsi que contre la crise de confiance de la population à l'égard du gouvernement.

C'est dans un tel contexte que les ministres affirment ce qui suit:

> *Le présent programme de communications prend pour acquis que le plan de relance économique annoncé en novembre dernier constitue la trame de fond de l'action gouvernementale pour les mois à venir. Pour ce qui est de la question nationale* [...] *l'importance que les médias d'information accorderont à cette question, du moins d'ici juin prochain, n'est pas de nature à faciliter la réalisation de ce programme principalement axé sur la relance économique*[180].

Les membres du CMPC réclament du Premier ministre qu'il se manifeste une volonté politique pour mener à bien ce programme à partir du mandat que s'est fait confier le CMPC en octobre 1981.

Les objectifs du programme de communications sont premièrement de donner un élan à la reprise économique, et

179 Note au Premier ministre de MM. Jean-François Bertrand, Yves Bérubé, Denis Lazure, Bernard Landry, Gilbert Paquette, Jacques Brassard, objet: *Programme de communications 1984-1985*, 10 février 1984, 8 pages, ainsi que les annexes A, B, C, D, E.

180 *Ibid.*, p. 3.

deuxièmement de renforcer la crédibilité du gouvernement afin d'assurer un suivi communicationnel au programme AGIR[181].

Les clientèles cibles sont les leaders d'opinion, les travailleurs des secteurs privé et public, les jeunes et les femmes.

Les moyens sur lesquels il faudra compter pour la réalisation de ce programme sont de bonnes relations avec la presse, une meilleure coordination des budgets gouvernementaux de communications, l'implantation d'un suivi constant des décisions du Conseil des ministres en matière de communications ainsi que l'intégration du programme de communications aux stratégies plus larges du gouvernement.

Pour atteindre ces objectifs, le document propose de «développer un discours gouvernemental positif et harmonieux qui minimise les conflits et qui mette systématiquement l'accent sur les réalisations et les projets[...]»[182].

En matière de publicité, le document suggère de réaliser une campagne nationale axée non seulement sur les réalisations du gouvernement mais aussi sur celles des individus, des groupes et des entreprises, campagne qui aurait un lien avec AGIR et qui serait réalisée par le CMPC. De plus, les ministères et organismes gouvernementaux devront adapter leurs prochaines programmations publicitaires sur les thèmes du plan de relance économique de 1983.

Du point de vue financier, le CMPC réclame une enveloppe budgétaire autonome. L'annexe A de la note contient les textes sur «Les tendances socioculturelles du Québec en 1983», résultat d'un sondage réalisé par la firme CROP à l'intention du ministère des Communications. Ce texte énumère, par ordre d'importance, les tendances socioculturelles de la société québécoise, c'est-à-dire 1) l'affirmation de soi, 2) la recherche du vrai, 3) la permissivité, 4) la contestation sociale, 5) le paraître, 6) l'informalité. L'annexe B contient les titres des trois campagnes publicitaires qui seront lancées par le CMPC en 1984-1985, soit «essor économique», «emplois et jeunesse», «fierté Québec», ainsi que les détails de leurs budgets respectifs. L'annexe C présente la réorientation des budgets de publicité des ministères et

181 AGIR: Actions gouvernementales d'intensification de la relance.
182 *Ibid.*, p. 6.

organismes pour 1984-1985. L'annexe D contient le budget total requis par le CMPC pour 1984-1985, lequel s'élève à cinq millions de dollars. L'annexe E représente un tableau synthèse de la programmation publicitaire soumise par les ministères et organismes pour les années 1983-1984 et 1984-1985.

L'ensemble de ce document constitue une application classique de marketing intégré orienté non seulement vers le produit mais vers le consommateur[183]. Le concept de marketing intégré vise à susciter la **satisfaction** du consommateur, clé de la réalisation des buts de l'exécutif gouvernemental.

Le 13 mars 1984, le compte rendu[184] d'une réunion tenue au bureau du leader du gouvernement, où étaient présents les ministres du CMPC, confirme la mise sur pied de trois tables de concertation: la première, dotée d'un budget de 1 000 000 $, cherchera à encourager l'essor économique du Québec; la seconde, avec un budget de 1 358 000 $, visera à soutenir les programmes d'emplois liés à la jeunesse; et la troisième, avec 1 500 000 $, tentera de promouvoir l'achat de produits québécois. Ces sommes d'argent ne comptent que pour la programmation publicitaire prévue dans le mémoire du 10 février 1984.

Le lendemain, le Conseil des ministres approuve le mémoire du 10 février déposé par Bertrand ainsi que le contenu de la note des ministres du CMPC[185].

Lorsque la Commission permanente de la culture entreprend l'étude des crédits du ministère des Communications en avril, l'opposition soutient que le Conseil des normes de la publicité considère le message «Bravo Québec» comme mensonger.

Le ministre des Communications réplique que, le 21 février 1984, le Conseil des normes a en effet transmis au ministre des Finances Jacques Parizeau une lettre, dont il a pris connaissance, qui recommande aux responsables de la rédaction

183 Voir Philip Kotler, *op. cit.*, p. 36.

184 *Compte rendu*, réunion du 13 mars 1984, 20h00, bureau du leader.

185 Gouvernement du Québec, réunion du Conseil des ministres, décision n° 84-64, sujet: *Programme de communications 1984-1985*, Louis Bernard, secrétaire général du Conseil exécutif, Réf.: 61-4, 14 mars 1984.

publicitaire du gouvernement du Québec de porter une attention toute particulière au choix des termes qu'ils utilisent[186].

L'exécutif gouvernemental est pour la première fois pris en défaut avec sa publicité, et ce, par un organisme privé créé en 1967 par l'industrie de la publicité, dont le rôle consiste à veiller sur l'application d'un code d'éthique auquel souscrivent la plupart des médias.

De plus, selon le document sur l'étude des crédits, le programme concernant l'information et les publications gouvernementales fait l'objet de compressions budgétaires: de 31 300 500 $ en 1983-1984, son budget passe à 24 823 500 $ en 1984-1985[187]. Lorsque l'on fouille dans les comptes publics, on constate même qu'en 1983-1984 les dépenses liées à ce programme s'éleveraient à 33 315 000 $[188]. Et c'est le ministre des Communications qui, en réplique à l'opposition, prétendait le 19 avril 1983 que le programme «information et publications gouvernementales» (1983-1984) ne coûterait pas plus de 24 999 400 $!

Par ailleurs, la Direction de la commercialisation des publications gouvernementales a fait réaliser par SORECOM une étude de marché afin de mieux connaître les clientèles cibles. Sur le plan marketing, un nouveau programme de promotion et d'information auprès des libraires privés viendra appuyer les efforts de distribution de la commercialisation. Ces actions relèvent du marketing des services gouvernementaux et n'ont aucune ramification avec l'exécutif.

Au même moment, le Groupe d'étude sur les fonctions administratives horizontales du Conseil du Trésor dépose une étude exhaustive sur le coût global des communications gouvernementales au Québec pour l'exercice financier 1982-1983. Cette somme s'élève à 94 458 100 $[189].

186 Assemblée nationale, Québec, *Journal des débats,* Commission parlementaire de la culture, Étude des crédits du ministère des Communications (4), mardi 17 avril 1984, n° 6, p. CC-174.

187 *Étude des crédits du ministère des Communications, 1984-1985,* avril 1984, p. 1.

188 Gouvernement du Québec, *Comptes publics, 1983-1984,* volume I, détail des dépenses, ministère des Communications, p. 1-100, programme 2.

189 Gouvernement du Québec, Conseil du Trésor, *Le coût et la productivité du secteur des communications au gouvernement du Québec 1982-1983,* Groupe d'étude sur les fonctions administratives horizontales, mars 1984, p. 35.

Pour effectuer cette étude, le Groupe a retenu les onze fonctions suivantes: l'édition, l'information de presse, l'audiovisuel, le soutien technique, les relations publiques, la publicité, le renseignement, le soutien documentaire, la rétroinformation, la planification stratégique et l'administration générale.

Les dépenses sectorielles globales sont concentrées à 71% dans les ministères et organismes tandis que le ministère des Communications en canalise 29%.

Ces chiffres sont beaucoup plus élevés que ceux qui sont présentés en annexe en raison de la globalité de l'exercice effectué par ce groupe d'étude et de l'ampleur des moyens mis à leur disposition, comparativement à nos chiffres qui sont tirés de certaines opérations du ministère des Communications et des statistiques de la firme torontoise *Elliott Research Corporation*. Notons que les chiffres émis par cette firme privée ne tiennent compte que de la publicité gouvernementale recensée dans six médias «référence». De plus, la comptabilisation de la firme de Toronto n'inclut pas les coûts de production.

En somme, les coûts reliés à la publicité gouvernementale ne sont qu'une partie du coût total de l'exercice de marketing de l'État québécois.

Enfin, le devis de la campagne de communications relative à l'essor économique est prêt le 3 mai 1984. L'objectif de cette campagne est de contrer les attitudes négatives de la population à l'égard des mesures gouvernementales qui ne donnent pas de résultats concrets et visibles à court terme.

> *Afin de contrer ces attitudes négatives et de susciter chez la population des réactions favorables à l'endroit de la reprise et des actions gouvernementales en ce domaine, le gouvernement se doit de situer ses interventions dans un contexte global, celui de l'économie, et d'y positionner ses mesures comme partie intégrante et unifiée de ce tout*[190].

La nature de ces propos incite à croire que l'exécutif gouvernemental désire se livrer, dans cette campagne, à un exercice de marketing de l'exécutif gouvernemental pur et simple qui

190 *Notes pour un devis, Campagne de communication relative à l'essor économique*, 3 mai 1984, p. 2.

retient de la propagande l'intention d'influencer et de modifier les attitudes des récepteurs dans la direction qui correspond à ses objectifs.

Le plan d'action gouvernemental vise à favoriser la reprise économique, à soutenir l'entreprise privée, à accroître l'exportation, à développer la recherche et à encourager l'innovation technologique, la compétitivité des entreprises et la revitalisation des régions.

Avec cette campagne, le gouvernement veut démontrer que sa politique d'investissements est le fruit d'un travail concerté et qu'elle s'appuie sur le dynamisme et le savoir-faire de ses partenaires économiques.

Notons que, lorsque cette campagne est lancée, le gouvernement du Québec ne dispose plus que de 311 millions de dollars pour le plan de relance et de 199 millions au chapitre des nouvelles initiatives, sur un budget total de 23 milliards en 1984-1985.

Le 16 mai 1984, le devis pour la campagne de publicité sur l'achat de produits québécois est disponible. Par ses objectifs, son axe de communication et sa stratégie, ce devis diffère du précédent en ce sens qu'il ne relève pas de façon aussi évidente du marketing de l'exécutif, sauf en ce qui concerne une référence à la campagne «Québec sait faire» réalisée par l'Union nationale entre 1967 et 1969 et aux objectifs de propagande sociologique qu'elle visait.

Plus loin dans le devis, on peut identifier la dimension politique de cette campagne:

> *En finalité, la campagne aura pour effet de développer le sentiment d'appartenance et de différenciation collective des Québécois comme support à une utilisation plus judicieuse de leur pouvoir d'achat*[191].

L'axe de communication du devis est orienté vers une participation des Québécois à l'économie; la stratégie de marketing doit être applicable autant aux consommateurs de produits qu'aux fabricants et fournisseurs. Une telle conception s'apparente au concept de «publicité plaidoyer», composante à part entière du marketing de l'exécutif gouvernemental.

191 Notes pour un devis, *Campagnes de publicité sur l'achat de produits québécois*, 16 mai 1984, p. 18.

C'est aussi le 16 mai 1984 que paraît le devis pour la campagne de communications relative à la formation et à l'insertion professionnelle des jeunes[192]. Ce plan d'action gouvernemental vise à rétablir la confiance de la société envers les jeunes et vice-versa. Cette campagne recèle trois préoccupations: la formation, l'insertion sociale et l'insertion professionnelle des jeunes. Prise dans une telle perspective, la promotion des programmes «Rattrapage scolaire», «Travaux communautaires» et «Jeunes volontaires» s'inscrit dans une approche de marketing des causes sociales. Il en est de même pour les programmes «Stages en milieu de travail», «Création d'emplois communautaires PECEC» et «Bourses d'affaires» du ministère de l'Industrie et du Commerce. L'axe de communication de cette campagne doit faire la démonstration des efforts consentis par le gouvernement à l'égard des jeunes. Les clientèles cibles sont les jeunes, les parents, les groupes intermédiaires et les milieux de l'éducation.

L'ensemble de cette campagne relève du marketing des causes sociales.

Pour ce qui est des critiques extra-parlementaires, Gilles Lesage du *Devoir* consacre une série d'articles à l'offensive publicitaire d'automne du gouvernement Lévesque, à l'analyse des budgets qui y sont consacrés ainsi qu'à la pertinence d'un tel exercice.

> *Pour rétablir sa crédibilité amochée, le gouvernement devrait, plutôt que de recourir à des trucs publicitaires, retrouver le dynamisme, l'imagination et la fraîcheur qui l'animaient. Mais cette relance, aucune campagne de marketing, si raffinée soit-elle, ne peut la lui donner. Ces manoeuvres automnales et hivernales, telles des analgésiques pour cancéreux, ont des odeurs de fin de régime*[193].

Un second mémoire est déposé le 21 novembre 1984 au Conseil des ministres par Jean-François Bertrand, concernant

192 Notes pour un devis, *Campagne de communication relative à la formation et à l'insertion sociale et professionnelle des jeunes*, 16 mai 1984, 21 pages.

193 Gilles Lesage, «Pour la relance de quoi?», *Le Devoir*, 19 juillet 1984, p. 6.; les articles précédents du même auteur dans *Le Devoir* sont: «L'offensive d'automne du gouvernement Lévesque», 17 juillet 1984, p. 1. «L'offensive d'automne du gouvernement Lévesque (2), Selon les devis fournis aux agences de publicité, il faut faire ressortir la concertation», 18 juillet 1984, p. 1.

la réalisation du programme de communications 1985-1986[194]. Il s'inscrit dans la continuité de celui du 10 février 1984: d'abord parce qu'il poursuit les trois campagnes amorcées dans le cadre du plan de relance économique, adopté au Sommet de Compton à l'automne 1983 et opérationnalisé au printemps 1984, puis parce que ses objectifs, ses clientèles cibles, ses moyens ainsi que ses structures sont les mêmes. La seule différence réside dans la somme investie: de 5 000 000 $ qu'il était en 1984-1985 le budget publicitaire passe à 6 250 000 $ en 1985-1986.

Il recèle également des éléments nouveaux: on y réclame une dotation adéquate du CMPC en ressources humaines et financières, et un suivi constant par le Conseil exécutif des effets de ce programme de communications[195].

Un second devis pour la campagne destinée à promouvoir l'achat de produits québécois est émis le 5 févier 1985. Le document fait état de la première campagne de publicité télévisée réalisée par l'agence *Cossette Communication-Marketing* au coût de 2,5 millions de dollars. Cette campagne a débuté au mois de septembre 1984. Elle comprenait la production et la diffusion de cinq messages qui établissaient le lien entre l'achat de produits québécois et la reprise économique ainsi que de quatre autres messages portant sur les activités culturelles, l'agro-alimentaire, les produits manufacturés et le ski alpin. De plus, à ces messages télévisés se sont greffés cinq messages radio portant sur le ski alpin, la lecture, les métiers d'art, la pratique des loisirs en plein air et celle d'activités culturelles.

L'impact de cette première campagne sur le consommateur québécois a été positif si l'on se fie aux résultats d'un sondage réalisé en décembre 1984 pour le compte du ministère des Communications par la firme COJINAD Inc. Le pourcentage des répondants qui ont dit connaître la campagne (sa «notoriété») s'élevait à 45%, ce qui veut dire que la campagne sur l'achat de produits québécois a connu un bon taux de pénétration dans l'ensemble du territoire québécois.

194 Gouvernement du Québec, Mémoire au Conseil des ministres, de Jean-François Bertrand, ministre des Communications et président du CMPC, sujet: *Le programme de communications, 1985-1986.*

195 *Ibid.*

Le message de la campagne a également bien passé. Le consommateur québécois exposé au message l'a bien compris (62%), a reconnu son commanditaire (75%), a convenu de l'utilité de faire la promotion des produits québécois (78%), donc de la campagne (88%), et a apprécié la clarté du message (91%).

Les conclusions de l'étude réalisée par COJINAD font ressortir quatre constatations. Premièrement, dans l'opinion publique, l'achat de produits québécois éveille chez 29% des répondants un sentiment patriotique. Deuxièmement, cette campagne doit s'appuyer sur une démarche communicationnelle *two step flow* qui utilise essentiellement la qualité du produit québécois comme source de motivation d'achat, la provenance devant être reléguée au second plan. Troisièmement, le facteur «provenance» influe surtout sur les achats de produits alimentaires, de matériaux de construction ou de la sélection de spectacles. Quatrièmement, le consommateur québécois perçoit les produits du Québec comme étant équivalents (et non meilleurs) aux produits d'ailleurs au point de vue de la qualité, et près de 40% croient qu'ils sont plus chers[196].

Les objectifs généraux de cette campagne pour 1985-1986 seront de développer le sentiment de fierté à l'égard des produits québécois et de ceux qui les fabriquent. Il en est de même pour les objectifs sectoriels de la culture, du tourisme, des loisirs, de l'agro-alimentaire et des produits manufacturés.

L'axe de communication privilégié pour cette campagne gravitera donc autour de la valorisation des gens et des produits d'ici comme source d'excellence recherchée[197].

Ce devis recèle deux types d'approche marketing, l'une de cause sociale, l'autre de l'exécutif gouvernemental. D'une part, on tente de sensibiliser le consommateur aux produits québécois, ce qui s'apparente au marketing des causes sociales en raison de la dimension «intérêt général» que cette approche comporte; d'autre part, on désire modifier la perception des Québécois à l'endroit de leur culture pour qu'ils adoptent une attitude plus positive à son égard, et cela relève du marketing de l'exécutif de par l'idéologie nationaliste que cette attitude sous-tend.

196 Secrétariat du CMPC en collaboration avec le ministère des Affaires Culturelles, le ministère de l'Agriculture, des Pêcheries et de l'Alimentation, le ministère de l'Industrie et du Commerce et le ministère du Tourisme, *Campagne de publicité de produits québécois,* Notes pour la préparation d'un devis, p. 9-10.

197 *Ibid.,* p. 12.

D'ailleurs, une des conclusions de l'étude COJINAD le confirme:

> *Dans l'opinion publique, l'achat de produits du Québec a surtout de l'influence sur les emplois que ça occasionne, mais ce concept transporte aussi (pour 29% de la population) une bonne dose de patriotisme*[198].

Les thèmes tels «Développer la fierté pour ces territoires d'ici», «Poursuivre la valorisation du produit culturel québécois pour inciter le consommateur à le privilégier», «Développer le sentiment de fierté de celles et ceux qui fabriquent ces produits» s'apparentent à la publicité plaidoyer et à la propagande sociologique qui sont des composantes du marketing de l'exécutif gouvernemental.

Entre le 19 et 24 février 1985, l'Institut québécois d'opinion publique (IQOP) effectue une évaluation de la campagne publicitaire DECLIC, dans le cadre de la campagne liée à l'insertion des jeunes sur le marché du travail, sous forme d'un vaste sondage destiné, entre autres choses, à comprendre les comportements de la jeunesse québécoise face au marché du travail. L'étude menée par Jean-Pierre Nadeau, un ami intime du ministre des Communications, vise deux objectifs: premièrement, à mesurer la popularité des diverses composantes de la campagne; deuxièmement, à évaluer les attitudes des Québécois de 17 à 30 ans face à leur intégration dans la population active. Ce sondage a permis de constater que la popularité de la campagne et celle du slogan étaient élevées (66 et 60% respectivement), et que la télévision avait été de loin le média le plus efficace pour faire connaître aux jeunes la campagne DECLIC[199].

Ce sondage, commandé par l'exécutif gouvernemental (CMPC), aura de plus permis de connaître les attitudes des jeunes à l'égard du chômage, leurs opinions sur les causes de ce phénomène et leur perception de l'avenir, favorisant ainsi une connaissance intime de ce segment de la population à l'approche de la campagne électorale. D'ailleurs, lorsque ce sondage fait ressortir le blâme qu'adressent les jeunes à l'entreprise privée ainsi que l'aide massive qu'ils attendent du gouvernement, l'exécutif décide de repositionner son message.

198 *Ibid.*, p. 9.

199 IQOP Inc., Institut québécois d'opinion publique Inc., *Évaluation de la campagne publicitaire DECLIC*, février 1985, 110 pages.

> *On a fait en février, à travers un sondage, un repositionnement. On a décidé cette fois-là de ne plus s'adresser aux jeunes. On a demandé à un jeune dans un* straight pitch *de s'adresser à la société*[200].

Pendant ce temps, Pierre Tourangeau de la Presse canadienne signe un article choc, reproduit simultanément dans *La Presse* et *Le Devoir* du 26 mars[201], sur les retards dans l'approbation du programme annuel de publicité gouvernementale (1984-1985) par le Conseil du Trésor. Un document du Conseil du Trésor, transmis à la Presse canadienne et daté du 29 janvier 1985, souligne ce qui suit:

> [Le programme de communications] *est encore une liste d'événements n'ayant fait l'objet d'aucune pondération en fonction de leur pertinence ou de leur degré d'importance... À l'heure actuelle, nous croyons qu'un tel programme non produit en début d'année financière constitue davantage un rapport d'étape qu'un document de programmation... Le secrétaire adjoint aux politiques administratives du Conseil du Trésor, Monsieur Jean-Louis Lapointe, situe le problème au niveau de la planification des activités de communication qui devait être préparée plus tôt pour être bien intégrée au cycle budgétaire*[202].

Pour Jean-Pierre Gagnon, secrétaire au Secrétariat du CMPC, le problème se résume ainsi:

> *Nous, on procédait par gel de crédit; eux auraient voulu qu'au moment où on décidait du plan de communication de l'année, qu'on règle immédiatement les écritures budgétaires des ministères* [...] ***Pour deux raisons, ça ne se faisait pas. La première en 84, il fallait essayer autant que possible d'éviter de montrer les budgets du CMPC, l'approche était comme ça à l'époque. Le gouvernement ne voulait pas qu'il y ait un débat en commission parlementaire***[...] ***Deuxièmement, ça posait un problème administratif d'aller saisir 10% de la marge de manœuvre du gouvernement et on plaçait Parizeau dans l'eau bouillante***[...] *Même si on mettait en relief dans la publicité le fait que le gouvernement était un agent économique, ce n'était pas vraiment du développement économique*[203].

Les propos de M. Gagnon témoignent de la discrétion dont l'exécutif gouvernemental entourait sa publicité. Une telle

200 *Entrevue avec Jean-Pierre Gagnon*, secrétaire du CMPC, Québec, 24 septembre 1986, p. 3.

201 Pierre Tourangeau, «Le Conseil du Trésor a approuvé avec dix mois de retard le programme 84-85», *La Presse*, 26 mars 1985, p. A-4; et «Québec, les crédits de publicité gouvernementale sont approuvés après dix mois de retard», *Le Devoir*, 26 mars 1985, p. 2.

202 *Ibid., La Presse.*

203 *Entrevue avec Jean-Pierre Gagnon*, *op. cit.*, extraits.
L'accentuation est de l'auteur.

constatation renforce la thèse d'un marketing de l'exécutif gouvernemental.

La même journée, c'est-à-dire le 26 mars 1985, le ministre des Communications réagit au dévoilement du document de travail du Conseil du Trésor par la Presse canadienne. Selon le ministre, au 1er mars 1985, les dépenses s'élèvent plutôt à 18,1 millions de dollars comparativement à 12,5 millions l'année précédente. Le ministre reconnaît devant l'Assemblée nationale que la grande majorité des faits allégués par la Presse canadienne sont exacts[204]. Il attribue l'augmentation des dépenses publicitaires à la publicité touristique hors Québec qui a connu une augmentation de 2,9 millions ainsi qu'à la visite du pape et aux fêtes du 450e anniversaire de l'arrivée de Jacques Cartier qui ont coûté près d'un million de dollars.

Le 29 mars 1985, Gilles Lesage s'en prend à l'importante augmentation des dépenses publicitaires du gouvernement en 1984-1985. Le journaliste met en doute la pertinence de ces dépenses.

> *Pis encore, il y a lieu de se demander si ces précieux millions sont dépensés à bon escient. Il n'est pas besoin d'être un grand spécialiste pour se rendre compte, soir après soir, que le volet publicitaire proprement dit est autrement plus soutenu et tonitruant que celui qui porte sur l'information[205].*

Ce constat met en lumière l'ampleur des contradictions dont est criblée, durant cette période, une information gouvernementale très politisée qui relève de deux approches marketing, l'une propre à l'exécutif gouvernemental lorsque les actions et les projets gouvernementaux sont en cause, l'autre du marketing permanent du parti au pouvoir lorsque le message qu'elle soustend constitue de la propagande sociologique ou politique.

C'est aussi durant cette période que paraît le devis 1985-1986 sur les programmes d'emplois liés à la jeunesse et aux activités gouvernementales organisées dans le cadre de l'année internationale de la jeunesse. Ce document fait état des conclusions du sondage réalisé par IQOP entre le 19 et le 25 février 1985 qui con-

204 Presse canadienne, «Dépenses de publicité du gouvernement: Bertrand explique la hausse par la publicité touristique, la visite du pape et Été 84», *La Presse*, 27 mars 1985, p. A-4.

205 Gilles Lesage, «Pour qui sont ces forces?» *Le Devoir*, 29 mars 1985, p. 10.

firment la forte popularité de l'opération «Options Déclic» lors de la première campagne 1984-1985. Certaines différences ressortent entre la campagne 1985-1986 et celle de 1984-1985 quant aux objectifs poursuivis. Alors que la campagne 1984-1985 comprenait 6 programmes, les «Options Déclic» 1985-1986 seront constituées de 20 programmes destinés aux jeunes Québécois de 18 à 30 ans ainsi qu'aux partenaires socio-économiques, et les messages qu'ils véhiculeront devront faire valoir que, malgré ses efforts, le gouvernement ne peut résoudre qu'une part du problème.

> *La mise en relief des initiatives de chacun, jeunes, partenaires socio-économiques et, sous-jacents, des efforts gouvernementaux aura une importance cruciale. La campagne devra également faire la promotion d'un guichet unique pour les jeunes*[206].

Ce «guichet» d'information pour les jeunes, qui aura pour fonction d'appuyer la seconde campagne «Options Déclic» sur le terrain, sera administré par les bureaux de Communication-Québec et par le Secrétariat de la jeunesse.

> *Cette innovation simplifiera de beaucoup les efforts communicationnels du simple fait de diriger la clientèle vers un seul comptoir au lieu de neuf ou dix, ce qui devenait l'obligation, étant donné les diverses provenances des programmes à publiciser*[207].

Nous constatons l'importance accordée ici à la variable distribution dans l'élaboration du *marketing mix* de cette campagne qui se traduit dans le guichet d'information pour les jeunes. De plus, le contenu de cette campagne est associable au marketing des causes sociales ainsi qu'à celui des services gouvernementaux. Les objectifs suivants provenant du devis le confirment:

- *Faire connaître les réalisations des jeunes et les initiatives des partenaires qui illustrent l'application concrète des programmes gouvernementaux.*
- *Faire connaître les programmes gouvernementaux à l'intention des jeunes liés directement ou indirectement à l'emploi*[208].

206 *Campagne de communication sur la promotion des programmes liés à la jeunesse et des autres activités gouvernementales menées dans le cadre de l'Année internationale de la jeunesse, 2e campagne*, 1985-1986, début de la campagne, mi-avril, 5 pages.

207 *Ibid.*, p. 3.

208 *Ibid.*

Les clientèles visées par cette campagne sont les jeunes, les agents socio-économiques et le grand public. Ces clientèles font apparaître les dimensions aussi bien sectorielles que générales du marketing de l'exécutif gouvernemental dans cette opération publicitaire.

Une équipe de rédacteurs sera responsable de la cueillette de l'information sur les projets, de leur rédaction, de leur diffusion ainsi que de leur évaluation. Le contenu de cette campagne implique des reportages sur les réalisations des jeunes, la présentation de certains de leurs projets et la description des programmes gouvernementaux offerts aux jeunes. La diffusion de la campagne sera effectuée par la presse écrite et électronique. L'évaluation sera réalisée par l'intermédiaire des instruments de marketing suivants: la revue de presse quotidienne et électronique (Caisse et Chartier), la revue de presse des hebdos effectuée par Communication-Québec, les sondages et les analyses. L'emploi des bureaux et des fonctionnaires de Communication-Québec pour une campagne créée par l'exécutif gouvernemental témoigne de l'ambiguïté des rapports entre le gouvernement et l'administration en matière d'information et de publicité gouvernementales.

Au cours du mois d'avril 1985, une enquête sur la campagne Déclic est effectuée par le Groupe de publicité Complice[209]. Cette étude se veut un complément d'analyse de l'enquête réalisée par IQOP en février 1985. Ses résultats démontrent les écarts dans la popularité de la campagne Déclic selon l'âge et le niveau de scolarité[210].

La réalisation d'une telle étude confirme la sophistication des instruments de marketing utilisés par l'exécutif gouvernemental afin de déceler le profil des attitudes de ses clientèles cibles.

Lors de la discussion sur l'étude des crédits du ministère des Communications, le 17 avril 1985, l'opposition libérale, représentée par le député de Louis-Hébert, Réjean Doyon, qualifie le

209 Groupe de publicité Complice, *Enquête sur l'évaluation de la campagne Déclic, Complément d'analyse*, Montréal, avril 1985, 38 pages.

210 *Ibid.*, p. 5.

ministère des Communications de «Firme Jean-François Bertrand, communication-marketing»[211], en raison de l'importance qu'accorde le ministre à l'information et la publicité gouvernementales. Ensuite, il condamne l'utilisation des panneaux-réclames destinés à promouvoir les subventions et les projets gouvernementaux.

> *Le bord des routes n'est pas fait pour y installer des panneaux en l'honneur du gouvernement et en l'honneur du ministre des Communications*[212].

Du 1er janvier 1984 au 31 mars 1985, 3 578 panneaux ont été posés à travers le Québec par des fonctionnaires du ministère des Transports[213]. Ces panneaux soulèveront la critique de l'opposition, de la presse et de la population. Jamais dans l'histoire de l'information et de la publicité gouvernementales au Québec, une opération publicitaire n'aura été victime d'un aussi important phénomène de surexposition.

Jean-Pierre Gagnon, alors secrétaire du Secrétariat au CMPC, attribue la paternité de cette campagne de panneaux d'affichage au ministre des Finances, Jacques Parizeau.

> *Ce dernier se plaignait au Conseil des ministres que l'action du gouvernement n'était jamais identifiée... Il insistait beaucoup; on a senti que Jean-François Bertrand n'avait plus le choix*[214].

Gagnon dit avoir fait appel à un «dur à cuire» pour réaliser cette campagne d'affichage.

> *Pour l'orchestration des panneaux, j'ai trouvé un opérateur; un gars un peu exalté. On avait beau appeler au ministère de l'Éducation, ça sortait pas. Il est allé s'asseoir dans l'anti-chambre du sous-ministre. Il a dit à sa secrétaire qu'il ne quitterait pas demain, après-demain ou dans cinq jours; il quitterait seulement lorsqu'il aurait la liste des réalisations du ministère. Le sous-ministre l'a rencontré et lui a donné personnellement. Il a fait la même chose aux Affaires sociales, aux Affaires culturelles, etc.*[215].

211 Assemblée nationale, Cinquième session - 32e législature, *Journal des débats*, Commission parlementaire, Commission permanente de la culture, *Étude des crédits du ministère des Communications (1)*, 17 avril 1985, no 10, p. CC-308.

212 *Ibid.*, p. CC-308.

213 *Étude des crédits du ministère des Communications 1985-1986, op. cit.*, annexe intitulée: campagnes publicitaires, s.p.

214 *Entrevue avec Jean-Pierre Gagnon, op. cit.*, p. 9.

215 *Ibid.*, p. 11.

La production de ces panneaux était assurée par une usine de signalisation routière du ministère des Transports. Selon Gagnon, le sous-ministre des Transports, Pierre Michaud, refusait d'approuver la production de ces panneaux car il jugeait que l'État ne pouvait justifier le maintien d'une usine que pour les besoins de la signalisation routière au Québec. L'autorisation d'utiliser l'usine afin de produire les panneaux sera accordée, avant que le ministère des Transports ne prenne sa décision finale, par le secrétaire général du Conseil exécutif, Louis Bernard. L'usine sera utilisée à cette fin durant un an et demi.

L'affaire des panneaux d'affichage est strictement une opération de marketing de l'exécutif gouvernemental. Pendant ce temps au MCQ, la Direction générale des publications gouvernementales (DGPG) s'est dotée en mars 1985 d'une Direction de la publicité et du marketing responsable de l'analyse et du développement des marchés.

D'ailleurs, la DGPG possède une Direction des ventes responsable de la gestion des stocks, de la distribution et de la mise en marché des publications.

Le Secrétariat du CMPC, lui, s'occupe de la pose de panneaux d'affichage. De plus, en 1985-1986, il poursuivra la réalisation des trois campagnes amorcées en 1984-1985 et en mettra deux nouvelles sur pied, l'une portant sur la qualité de la vie et l'autre sur la qualité des services publics.

Durant l'été et l'automne 1985, Guy Giroux, agent d'information au gouvernement du Québec, effectue une étude exploratoire sur l'éthique professionnelle des communicateurs gouvernementaux au Québec.

Pour ce faire, un questionnaire est envoyé aux 456 agents d'information de la fonction publique québécoise; 116 y répondent. Les résultats de l'enquête démontrent que la majorité des communicateurs gouvernementaux interviewés perçoivent une influence de l'exécutif gouvernemental dans la réalisation de leur travail.

À la question

Y a-t-il, à votre connaissance, du travail de propagande politique partisane qui est effectué par des agents d'information dans la fonction publique québécoise?

47,4% des répondants ont dit oui et 20% ont dit non. Le pourcentage résiduel se partage entre les répondants qui ont affirmé ne pas le savoir (31%) et ceux qui ont refusé de répondre (2%).

Parmi les commentaires liés à cette question, le témoignage de ce fonctionnaire est explicite:

> *Dans un ministère, on a demandé à l'agent d'information chargé de la rétroinformation de faire un relevé de la couverture accordée au ministre, non seulement comme ministre, mais également comme député. On m'avait également demandé, à l'occasion de la commission parlementaire sur un projet de loi, d'assister aux audiences pour ensuite faire des communiqués à partir des interventions de chacun des députés du PQ, membres de cette commission, ce que j'ai refusé, mais qui a été effectué par un pigiste*[216].

Dans une autre question, Giroux demande:

> *S'il y avait, même sans que vous ne le sachiez, du travail de propagande politique partisane qui était effectué par des agents d'information, ce travail serait-il conciliable, à votre avis, avec le rôle d'un agent d'information?*

79% des répondants sont d'avis qu'un travail de «propagande politique partisane» de la part des professionnels de la communication gouvernementale n'est pas conciliable avec le rôle qui devrait normalement leur revenir d'exercer[217].

Une question sur la croissance du degré de politisation de la publicité gouvernementale depuis qu'elle est orchestrée par des organismes centraux (c'est-à-dire depuis les libéraux entre 1970 et 1976) a donné les résultats suivants: 72% des répondants jugent qu'elle est plus politisée sous le gouvernement du Parti québécois qu'elle ne l'était auparavant, 4% la jugent moins politisée et 16% ne savent pas[218].

Par ailleurs, lorsqu'on leur a demandé de répondre à la question suivante:

> *Précisez si le changement qui est survenu dans le domaine de la publicité gouvernementale québécoise vous apparaît valable.*

216 Guy Giroux, Ph. D., *L'Éthique professionnelle des communicateurs gouvernementaux du Québec (étude exploratoire), Recherche post-doctorale réalisée sous les auspices du Groupe de recherche ETHOS de l'UQAR,* Rimouski, 1986, p. 36.

217 *Ibid.*, p. 70.

218 *Ibid.*, p. 80.

30% ont répondu «oui dans certains cas seulement», 10%, «oui dans tous les cas», 27%, «non dans aucun cas», et 28,4%, se sont abstenus de répondre[219].

La question précédente était accompagnée d'une question additionnelle:

> *D'après vous, est-il acceptable de confier aux agents d'information un travail mettant à contribution, dans l'exercice de leurs activités, non seulement des techniques d'information, mais également des techniques de persuasion (publicité ou propagande)?*

60% des répondants ont répondu «oui dans certains cas seulement», 24%, «oui dans tous les cas», 12% «non, jamais», et 4% «ne savent pas»[220].

Ce sondage indique que la très grande majorité des agents d'information interviewés juge inconciliable avec leur rôle de communicateur gouvernemental le travail de propagande politique, trouve acceptable dans certains cas seulement l'utilisation des techniques de persuasion dans l'exercice de leurs fonctions et croit que la publicité gouvernementale est plus politisée avec le gouvernement du Parti québécois qu'elle ne l'était avec les libéraux entre 1970 et 1976.

De plus, notons que les réponses à certaines autres questions indiquent que 75% des répondants jugeaient être en conflit par rapport au travail que leur employeur leur demandait d'effectuer[221], et que 85% de ces mêmes répondants se sont prononcés en faveur de l'établissement d'un code de déontologie pour les communicateurs gouvernementaux du Québec[222].

Les conclusions de cette enquête suggèrent que les communicateurs gouvernementaux sont pleinement conscients du contrôle de l'exécutif sur l'information gouvernementale. Un fonctionnaire interviewé affirme lors de l'enquête: «Toute l'information gouvernementale consiste à faire accepter des politiques; c'est du marketing social»[223].

En novembre 1985, la firme IQOP réalise le second volet de l'évaluation de la campagne publicitaire Déclic[224]. Cette étude

219 *Ibid.*, p. 81.
220 *Ibid.*, p. 88.
221 *Ibid.*, p. 113.
222 *Ibid.*, p. 117.
223 *Ibid.*, p. 35.
224 Institut québécois d'opinion publique, *Évaluation de la campagne Déclic* (Volet 2), novembre 1985, 125 pages excluant le questionnaire et l'appendice.

constate que le taux de popularité de la campagne «Déclic Jeunesse» est très élevé (69%) alors que celui du slogan «Déclic Jeunesse, V'là de l'action» l'est moins (34%).

Par ailleurs, 72% des jeunes ont compris le but de la campagne Déclic, soit l'intégration des jeunes au marché du travail. La télévision demeure le média le plus efficace pour faire connaître la campagne. «Stages en milieu de travail» est le programme le plus connu, avec un taux de popularité de 71%; le moins connu est celui des bourses d'affaires avec 35%. Le commanditaire, c'est-à-dire le gouvernement québécois, est facilement identifiable avec un taux de 80%, soit le même qu'en février.

Cette évaluation comprend un appendice sur l'appréciation par les jeunes des actions que le gouvernement actuel a entreprises pour eux. Cet exercice de rétroinformation, à même un sondage gouvernemental, est clairement destiné à soutenir le marketing électoral de l'exécutif gouvernemental en pleine campagne électorale.

Finalement, c'est également en novembre que le Conseil du Trésor refuse au CMPC le droit de réaffecter 300 000 $ du fonds de suppléance à la campagne Jeunesse dont le sondage précédent fait partie. Le 2 décembre 1985, le Parti libéral du Québec est porté au pouvoir.

IV

L'évolution des pratiques de marketing gouvernemental au Québec

9

Les constantes du marketing gouvernemental au Québec

Les différents gouvernements québécois ont tous, depuis 1929, pratiqué le marketing gouvernemental, comme le démontrent leur emploi d'un vocabulaire marketing, leur utilisation d'instruments marketing, leur souci d'ériger des appareils de gestion du marketing et de doter ces appareils de ressources financières et humaines appropriées, leur formulation d'objectifs marketing généraux et sectoriels et leur volonté de coordonner diverses activités de marketing tant à l'intérieur qu'à l'extérieur de l'État.

On peut donc soutenir que tous les gouvernements qui se sont succédé à Québec depuis 1929 ont tenté d'influencer les attitudes et les comportements de la population, en s'appuyant constamment sur les ressources humaines et financières de l'État afin de promouvoir leurs objectifs politiques.

Les instruments de marketing

En 1929, avec la Loi relative à la radiodiffusion, le gouvernement Taschereau signifie son intention d'utiliser un média électronique pour diffuser ses messages. Puis en 1933, l'exécutif gouvernemental autorise le ministre de la Voirie à créer un organisme destiné à faire de la propagande et de la publicité touristiques.

Il en est de même lorsque l'Union nationale adopte la Loi créant l'Office de la radio de Québec en 1945.

La loi créant l'Office provincial de publicité (OPP) en 1946 fait état de la nécessité d'utiliser les journaux et la radio comme médias d'information.

L'Office d'information et de publicité du Québec (OIPQ) succède à l'OPP en 1961. Les sections film et tourisme ne sont plus rattachées à l'Office comme c'était le cas sous l'OPP, conférant ainsi au nouvel Office le statut d'appareil de marketing gouvernemental autonome.

Le Rapport Montpetit-Pérusse utilise pour la première fois en 1963 les études de marché pour concevoir la publicité gouvernementale.

L'OIPQ est doté en 1964 des services suivants: rédaction, publicité, documentation, publication et coordination.

En 1966, le Rapport Loiselle-Gros D'Aillon recommande l'utilisation de TELBEC pour diffuser l'information gouvernementale, l'ouverture d'un bureau d'information à Ottawa, l'acquisition d'un réseau fermé de téléscripteurs par l'OIPQ pour communiquer avec TELBEC et avec les agences de publicité du gouvernement ainsi que l'emploi des études de marché et de la rétroinformation.

Charles Denis, attaché au Cabinet du Premier ministre Bourassa, privilégie en 1972 l'utilisation d'émissions de radio, de télévision, de communiqués, de brochures gouvernementales, de revues de presse accompagnées d'enregistrement des émissions de radio et de télévision; s'ajoutent à ces instruments de marketing, en 1973, la campagne «Informa-Tour» de la DGCG, en 1974, les sondages Plurimar et Lemieux-Dalphond et, en 1976, celui du Service du développement des médias du ministère des Communications.

Entre 1970 et 1976, le Cabinet du Premier ministre ainsi que le ministère du Conseil exécutif sont dotés d'un appareil de marketing de l'exécutif gouvernemental sous la responsabilité de Charles Denis.

Le Premier ministre du Québec crée, en 1978, le poste de sous-ministre adjoint à l'Information gouvernementale. L'étendue des pouvoirs administratifs et financiers conférés à cette fonction en fait un instrument de marketing management puissant.

La campagne de publicité «Opération solidarité économique», qui fait appel aux médias écrits et électroniques, les sondages du Service des médias au ministère des Communications, ceux d'IQOP en 1978, de CROP en 1979 et ceux effectués lors du débat constitutionnel en 1981, sont tous des manifestations de l'emploi d'instruments marketing par l'État. De plus, à partir de 1979-1980, les communicateurs gouvernementaux suivent des cours sur les techniques de sondage dans le cadre des activités de perfectionnement du Conseil des directeurs de communications (CDC).

La rétroinformation est assurée par Communication-Québec qui en devient officiellement responsable à partir d'avril 1980.

En 1981, le Comité ministériel permanent sur les communications est mis sur pied afin que les messages de l'exécutif gouvernemental soient transmis plus efficacement dans l'information et la publicité émises par le gouvernement. Le CMPC est responsable de toutes les décisions relatives à l'orientation de l'information et de la publicité gouvernementales. Afin de coordonner ses activités avec celles des ministères et organismes gouvernementaux, le comité est doté d'un secrétariat installé au ministère des Communications et dirigé par le sous-ministre adjoint à l'Information gouvernementale.

Au moins six devis publicitaires ont été conçus en 1984-1985 et 1985-1986 par le Secrétariat du CMPC afin d'orienter les trois tables de concertation (achat de produits québécois, emploi chez les jeunes, essor économique).

De plus, l'étude des tendances socioculturelles des Québécois réalisée par CROP en 1983 pour le compte du Conseil des ministres est une autre preuve de l'importance qu'accorde l'exécutif gouvernemental aux instruments marketing.

Les ressources humaines et financières

Si l'on exclut le budget de 5 000 000 $ consenti à l'Office de la radio de Québec en 1945 pour l'acquisition et la construction de stations de radio, la moyenne des coûts du marketing gouvernemental entre 1929 et 1946 a été d'environ 250 000 $ par année.

L'Office provincial de la publicité dispose au moment de sa création en 1946 d'un budget de 105 000 $, budget qui dépasse les 2 000 000 $ en 1960.

Signalons des augmentations significatives des dépenses en 1948, 1950, 1953 et 1960. Celles de 1948, 1953 et 1960 seraient attribuables aux élections. Quant à celle de 1950, nous en ignorons les motifs.

Lorsque l'OIPQ succède à l'OPP en 1961, son budget s'élève à environ 1 550 000 $, alors qu'il atteindra plus de 5 000 000 $ en 1970.

Pour ce qui est des ressources humaines, alors que l'OPP était constitué de 135 employés en 1961, l'OIPQ compte 117 employés en 1965, 29 en 1966 et 162 en 1970. Le nombre 29 concorde avec la période de remise en question de l'OIPQ qui l'a conduit au seuil de la fermeture. Par contre, on évalue les effectifs des bureaux de l'information dans les ministères à 99 personnes en 1965. Entre 1966 et 1970, l'OIPQ connaît un nouveau départ sous l'impulsion des recommandations du Rapport Loiselle-Gros D'Aillon.

On constate dans le document de travail de Jean-Paul L'Allier que les budgets relatifs aux instruments de l'État en matière de communications s'élevaient en 1971-1972 à 23 923 500 $[225]. Il est évident que ce chiffre déborde le cadre des budgets alloués à l'exercice de marketing gouvernemental du Québec; il inclut les budgets de la Régie des services publics, de la polycopie, de la traduction, de Radio-Québec et du ministère des Communications. Notre évaluation des coûts associés au marketing gouvernemental exclut tous ces postes.

Cependant, ce document de travail fait aussi état des dépenses strictement consacrées à l'information et à la publicité gouvernementales, qui s'élèvent au 31 mars 1970 à 8 159 237 $. Les dépenses pour les activités de marketing gouvernemental atteignent le cap des 10 millions en 1973 et celui des 20 millions en 1978.

225 Voir en annexe.

Quant aux effectifs du ministère des Communications, nous évaluons leur nombre moyen à 550 années-personnes dans la période comprise entre 1972 et 1985.

En 1979, les dépenses relatives au marketing gouvernemental s'élevaient à 28 314 000 $ pour atteindre 33 387 000 $ en 1982. De plus, on remarque une augmentation substantielle (8 000 000 $) entre 1978 et 1979 attribuable, entre autres, à une hausse importante des coûts pour la publicité des ministères.

En 1983, 35 933 000 $ sont consacrés au marketing gouvernemental et en 1985, 45 157 000 $. L'imminence d'une élection n'est pas étrangère à cette croissance.

L'étude du Conseil du Trésor déposée en mars 1984, qui comptabilise toutes les dépenses en communications des ministères et organismes gouvernementaux à l'intérieur de 11 fonctions comprenant 41 moyens de communication spécifiques, concluait que le coût total des communications gouvernementales pour l'année 1982-1983 s'établissait à 94 458 100 $. Précisons toutefois que ce chiffre déborde l'exercice de marketing gouvernemental proprement dit pour inclure les communications gouvernementales internes et externes propres à tous les ministères et organismes gouvernementaux.

Les objectifs marketing des gouvernements étaient-ils généraux ou sectoriels?

L'objectif de la loi sur la radiodiffusion en 1929 est général, parce que le média qu'est la radio pouvait servir à véhiculer des messages sur n'importe quel sujet. Cependant, la création d'un organisme par le ministère de la Voirie en 1933, la loi créant l'Office du tourisme en 1937 et celle plaçant l'Office sous la juridiction du Premier ministre en 1941, sont tous des gestes qui ont un objectif sectoriel, c'est-à-dire ici la promotion du tourisme.

Dans la loi créant Radio-Québec en 1945, l'objectif redevient général en raison de la responsabilité de l'exécutif gouvernemental à l'égard de son application et de la nature générale des messages qu'il est susceptible de diffuser vers la population.

L'objectif marketing de l'OPP entre 1946 et 1961 et de l'OIPQ entre 1961 et 1965 est général parce que ces organismes sont contrôlés par l'exécutif.

De 1966 à 1970, toutefois, l'OIPQ vise à la fois des objectifs généraux, liés à la transmission des messages de l'exécutif gouvernemental, et des objectifs sectoriels, associés à la diffusion de messages portant sur les services gouvernementaux.

Entre 1970 et 1976, les objectifs sont généraux lorsque le marketing gouvernemental est dirigé par le Cabinet du Premier ministre et le ministère du Conseil exécutif, sous la tutelle de Charles Denis, et sectoriels lorsqu'il dépend des ministères et de Communication-Québec.

La réforme de l'information gouvernementale en 1978 comprend d'une part des objectifs généraux en raison de la primauté du marketing de l'exécutif gouvernemental comme fondement de la réforme, mais d'autre part, des objectifs sectoriels avec le développement du marketing des services gouvernementaux inhérent à Communication-Québec. Cependant, la création du Comité ministériel permanent sur les communications le 20 octobre 1981 répond strictement aux objectifs généraux de l'exécutif gouvernemental.

Les deux types d'objectifs deviennent toutefois intimement liés, comme l'explique Louis Bernard, secrétaire général du Conseil exécutif:

> *Lorsque vous mettez un programme en œuvre, vous devez l'annoncer pour que les gens sachent que le programme existe et vous devez le vendre. Il y a un marketing du produit gouvernemental comme n'importe quel marketing. Alors évidemment, lorsque vous faites le marketing de l'action gouvernementale, vous faites également le marketing de ceux qui sont derrière l'action gouvernementale. C'est extrêmement difficile de dissocier les deux*[226].

Les gouvernements ont-ils cherché à coordonner des activités à l'intérieur ou à l'extérieur de l'État?

En 1933, la fonction de propagande et de publicité est coordonnée à l'intérieur de l'État par le ministre de la Voirie; les syndicats d'initiative, sous la responsabilité du même ministre, coordonnent les activités externes au gouvernement. Ces activités sont régies de la même façon en 1937 avec l'Office du tourisme et en 1941 lorsqu'il tombe sous la juridiction du Premier ministre.

226 *Entrevue avec Louis Bernard, op. cit.*, p. 2.

Lorsque l'Union nationale vote la Loi créant Radio-Québec en 1945, le souci de coordonner des appareils extérieurs à l'État est évident.

De 1946 à 1961, le mandat confié à l'Office provincial de publicité ne concerne que la coordination interne des activités de publicité gouvernementale. Entre 1961 et 1970, la coordination propre à l'appareil de marketing gouvernemental est interne pour ce qui est du volet information mais externe pour la publicité parce qu'elle est conçue par des agences de publicité privées.

Dans la période comprise entre 1971 et 1976, la coordination est interne pour ce qui est du marketing de l'exécutif gouvernemental contrôlé par le bureau du Premier ministre et le ministère du Conseil exécutif, et externe pour ce qui est de la publicité qui est conçue par des firmes privées telles que Pierre Tremblay & Associés.

Entre 1978 et 1981, la coordination est interne et centralisée. Cependant, durant cette période, un marketing de l'exécutif gouvernemental est réalisé au ministère du Conseil exécutif, parallèlement à celui effectué par le sous-ministre adjoint à l'Information gouvernementale et son appareil administratif. Cette pratique met en relief l'existence d'un petit appareil autonome et interne dirigé par Jean-François Cloutier, conseiller en communications, attaché au ministère du Conseil exécutif.

Pour la période 1981 à 1985, la coordination est interne et relève du Comité ministériel permanent sur les communications.

Le marketing gouvernemental vu sous l'angle systémique

Entre 1869 et 1960, le marketing gouvernemental évolue dans le cadre restreint de la propagande et de la publicité, à l'intérieur duquel l'émission des messages à l'intention de la population par les sous-systèmes que constituent l'administration publique et l'exécutif gouvernemental s'effectue sans rétroaction institutionnalisée. À compter de 1963, nous décelons dans les Rapports Montpetit-Pérusse (1963) et Loiselle-Gros D'Aillon (1966), issus des sous-systèmes exécutif et administratif, le désir de connaître l'opinion publique par la voie des revues de presse, des études de marché, de la rétroinformation et des sondages.

Les mêmes rapports instaurent aussi l'emploi de l'approche intégrée (*marketing mix*) dans une perspective de gestion de l'activité marketing au gouvernement du Québec.

Les années soixante sont ainsi consacrées à la mise sur pied d'appareils destinés à améliorer le processus de communication entre la population et les sous-systèmes administratif et exécutif qui interviennent de plus en plus dans la vie économique et sociale des Québécois. Ainsi, les deux principaux objectifs des Rapports Montpetit-Pérusse et Loiselle-Gros D'Aillon sont dans un premier temps d'informer la population sur les services gouvernementaux existants et sur les réalisations de l'exécutif gouvernemental et, dans un deuxième temps, de connaître ses désirs.

De 1971 à 1978, des appareils de marketing se développent avec des objectifs divergents. Lorsque les libéraux reprennent le pouvoir en avril 1970, ils favorisent la décentralisation de l'information gouvernementale dans les ministères et en région sous l'égide de la DGCG. Parallèlement, ils mettent sur pied un appareil de marketing très sophistiqué au bureau du Premier ministre et au ministère du Conseil exécutif, qui est chargé de coordonner et de diffuser l'information provenant de l'exécutif gouvernemental, sans se soucier du développement de l'information administrative qu'ils ont décentralisée.

Entre 1970 et 1976, les acteurs du sous-système exécutif sont occupés à diffuser le message politique et à rétroagir selon son impact dans la population. Ce n'est qu'à la fin de 1973 que le sous-système administratif et le ministre des Communications d'alors, Jean-Paul L'Allier, prennent conscience de l'absence de communications entre l'État et les citoyens causée par le manque d'accessibilité des services gouvernementaux; toutefois cette prise de conscience n'entraînera aucun changement à la situation. En avril 1977 cependant, six mois après l'accession au pouvoir du Parti québécois, la présentation d'une série télévisée d'information sur les services gouvernementaux par la DGCG à Radio-Québec marque l'envol du marketing des services gouvernementaux.

Vue sous l'angle systémique, la période comprise entre 1978 et 1981, dominée par la création du poste de sous-ministre adjoint à l'Information gouvernementale et par la réforme des communications gouvernementales qui s'ensuit, fait que les exigences de la population à l'intérieur des canaux de communication de l'administration publique seront traitées dans le cadre d'une approche marketing management, à l'intérieur de laquelle la gestion des interactions entre la population et l'État sera réalisée sous l'égide d'un acteur du sous-système administratif, en l'occurrence Jean Laurin, qui contrôlera l'ensemble de la publicité des ministères. Enfin, les activités de perfectionnement destinées aux communicateurs gouvernementaux, que M. Laurin aura contribué à mettre sur pied, permettront d'améliorer les interactions entre la population et l'État par une plus grande disponibilité des services gouvernementaux.

De 1978 à 1981, l'exécutif gouvernemental s'appuie sur les fonctionnaires pour transmettre à la population ses extrants (actions, décisions) tangibles, intangibles et verbaux. Cependant, durant cette période, l'exécutif perçoit des distorsions dans la transmission de ses extrants par l'administration publique, qui provoquent selon lui une rétroaction défavorable de la population à son égard, l'incitant ainsi à mettre sur pied en octobre 1981 le CMPC. Dès lors, le Conseil des ministres va exercer un contrôle direct sur la transmission de ces trois types d'extrants par le sous-système administratif qui sera lui-même dirigé par le Secrétariat du CMPC.

D'ailleurs, ce ne sera pas avant le 10 février 1984, dans un mémoire remis au Conseil des ministres et une note du CMPC transmise au Premier ministre par le ministre des Communications, qu'il sera formellement fait état du soutien négatif de la population et des médias d'information aux extrants de l'exécutif gouvernemental, et du besoin urgent de réagir en produisant des extrants qui répondent aux exigences de la population afin de regagner son soutien. C'est dans une telle conjoncture que le CMPC sera autorisé à entreprendre trois campagnes de marketing majeures regroupées sous les thèmes de l'achat de produits québécois, de l'emploi lié à la jeunesse et de l'essor économique, qui se poursuivront jusqu'à l'automne 1985. Ces campagnes seront destinées à appuyer des extrants verbaux et symboliques, lorsqu'il sera question de promouvoir l'achat de produits québécois, des extrants tangibles, lorsqu'ils viseront à intégrer les jeunes dans des programmes gouvernementaux tels «Travaux communautaires», «Jeunes volontaires», «Stages en milieu de travail» et «Bourses d'affaires» du ministère de l'Industrie et du

Commerce et, finalement, des extrants intangibles, dans la campagne essor économique puisque sa problématique visera à contrer les attitudes négatives de la population à l'égard des mesures gouvernementales qui ne procurent pas de résultats concrets à court terme.

Le marketing gouvernemental est fortement centralisé en raison des fonctions de coordination et de planification inhérentes à son opérationnalisation ainsi qu'à la volonté de l'exécutif gouvernemental de l'appliquer à l'aide de moyens administratifs contraignants

Notons d'entrée de jeu que la radiodiffusion, telle que conçue en 1929 et en 1945, devait relever directement de l'exécutif gouvernemental.

Devant l'impossibilité d'utiliser la radio pour des raisons constitutionnelles, le gouvernement du Québec pénètre dans le champ du marketing par l'Office du tourisme en 1933, Office qui tombe sous le contrôle direct du Premier ministre en 1941.

La petite porte touristique se trouve grandement élargie en 1946 quand est créé l'Office provincial de la publicité qui relève, dès son origine, directement du Conseil exécutif et donc, en fait, du Premier ministre.

Ainsi en est-il aussi de l'Office d'information et de publicité du Québec qui est dirigé par le secrétaire de la province.

En 1966, le Premier ministre Daniel Johnson place l'Office sous sa responsabilité directe tout en contrôlant les budgets d'information et de publicité de tous les ministères.

Entre 1970 et 1976, la DGCG succède à l'OIPQ, et la responsabilité de l'information et de la publicité des ministères est confiée à leur Direction des communications respective. Cependant, le marketing de l'exécutif gouvernemental est réalisé durant cette période à partir du bureau du Premier ministre.

Sous l'administration péquiste, l'importante réforme de l'information gouvernementale accorde au sous-ministre adjoint à l'Information gouvernementale le contrôle de toute l'information et de la publicité gouvernementales.

En 1981, l'exécutif gouvernemental met sur pied le Comité ministériel permanent des communications afin de s'assurer la maîtrise complète de ce secteur.

On constate donc que, sauf au tout début du marketing touristique et pendant l'intermède 1970-1976, où l'information gouvernementale relève des ministères, le marketing gouvernemental est constamment assujetti au contrôle de l'exécutif.

La tendance centralisatrice inhérente au marketing engendrera des conflits entre l'exécutif gouvernemental et la fonction publique, conflits qui s'amplifieront au fur et à mesure que se développeront la notion d'autonomie administrative et la professionnalisation de la fonction publique

Entre 1929 et 1960, «la fonction publique est dominée par le gouvernement en place et elle pratique une politique de règlement à l'amiable avec celui-ci comme avec ses clients»[227]. Le problème de l'autonomie administrative des fonctionnaires ne se pose pas encore et celui de la professionnalisation dans le secteur de l'information et de la publicité gouvernementales non plus.

Notre analyse a permis d'identifier trois conflits entre l'exécutif gouvernemental et la fonction publique relativement au marketing. C'est en 1965 qu'éclate la première crise politico-administrative à l'OIPQ entre le secrétaire de la province, Bona Arseneault, et le directeur de l'Office, Hubert Potvin: M. Potvin accuse Mme Arseneault d'ingérence politique. En 1982, Marcel Giner, directeur de la recherche au ministère des Affaires sociales, accuse le gouvernement péquiste d'utiliser les sondages de divers ministères à des fins de politique partisane. Finalement, il faudra attendre en mai 1985 pour voir les communicateurs gouvernementaux se plaindre, dans un sondage réalisé à l'intérieur de l'enquête Giroux, qu'on leur fait exécuter des tâches politiques. Notons toutefois que le programme de formation des communicateurs gouvernementaux, mis en œuvre à cette époque, n'avait suscité aucune critique de la part des fonctionnaires.

227 James Iain Gow, *op cit.*, p. 290.

Les conflits seront propagés par l'opposition parlementaire et la presse

Dès 1929, le porte-parole de l'opposition conservatrice, Maurice Duplessis, accuse le gouvernement de mettre sur pied un instrument de propagande par son projet visant à se doter d'une station radio pour transmettre ses messages. En mars 1945, c'est au tour de l'opposition libérale d'accuser Maurice Duplessis, maintenant Premier ministre, de vouloir créer par l'Office de la radio de Québec, une «Radio-Duplessis».

En février 1967, un journaliste de *La Presse*, Cyrille Felteau, souligne la nature partisane de l'information gouvernementale lors de la grève du secteur de l'éducation.

Durant la période 1966-1970, l'opposition libérale attaque sans répit le gouvernement de l'Union nationale relativement à la partisanerie qui règne dans l'attribution des contrats de publicité gouvernementale, à la confusion qui prévaut entre les mandats d'information politique et gouvernementale accordés à Jean Loiselle et Paul Gros D'Aillon et au caractère partisan de l'information et de la publicité gouvernementales.

En 1969, la crise éclate suite à la parution d'un article percutant, signé Gilles Racine dans *La Presse*, qui démontre que des liens partisans entre des membres du personnel politique (Loiselle, Gros D'Aillon), des fonctionnaires (Roger Cyr, directeur de l'OIPQ) et des publicistes (Gaby Lalande) ont guidé l'octroi des contrats de publicité gouvernementale. À la suite de cet article, le député libéral Yves Michaud réclame la mise sur pied d'une commission d'enquête sur l'information et la publicité gouvernementales.

Dans une série d'articles parus en 1971, le journaliste Laurent Laplante se dit convaincu que la décentralisation de l'information gouvernementale dans les ministères va accroître le niveau d'ingérence politique des ministres dans leur Direction des communications.

En 1979, le député libéral Claude Forget s'insurge contre l'utilisation des fonctionnaires et de l'administration publique à des fins politiques par l'exécutif gouvernemental. Il réclame, de plus, une clarification des notions d'information administrative et politique.

Au cours de la même année, l'Union nationale dépose un document en conférence de presse qui confirme l'augmentation rapide des coûts de la publicité gouvernementale sous l'administration péquiste.

Dans les mois qui précèdent le référendum, l'Union nationale et les libéraux s'en prennent au caractère partisan de la publicité gouvernementale. La presse fait de même et, sous la plume de Michel Roy, demande à la population d'être vigilante à l'égard des moyens de communication gouvernementaux.

Lors d'une discussion sur l'*Étude des crédits* du ministère des Communications, le 4 juin 1981, le député libéral Jean-Claude Rivest demande au ministre d'élaborer un code de déontologie pour les communicateurs gouvernementaux.

À l'occasion des négociations du gouvernement avec le secteur public en 1982, la Fédération professionnelle des journalistes du Québec s'inquiète de l'utilisation de noms de journalistes dans la publicité gouvernementale sur les négociations.

En avril 1984, l'opposition libérale s'insurge contre la publicité «Bravo-Québec» avec, à l'appui, la lettre d'avertissement que le Conseil des normes de la publicité a fait parvenir au ministre des Finances sur cette publicité qualifiée d'inexacte.

À l'été 1984, Gilles Lesage du *Devoir* consacre une série d'articles à l'offensive publicitaire du gouvernement Lévesque et aux odeurs de fin de régime qui la caractérisent.

En mars 1985, un article de Pierre Tourangeau dans *La Presse* rend publiques les critiques émises par le Conseil du Trésor à l'égard de la publicité gouvernementale et de l'augmentation de ses coûts.

Les nombreuses critiques émises par les sous-systèmes que constituent l'opposition parlementaire et la presse, dans l'environnement intrasociétal du système politique de la période étudiée confirment leur rôle de *gate keeper* lorsqu'il s'agit de juger la nature des extrants produits par les sous-systèmes exécutif et administratif.

L'exécutif gouvernemental cherche constamment à intégrer le marketing des services gouvernementaux à celui de l'exécutif

C'est en 1933 que, dans la Loi concernant le tourisme, nous décelons pour la première fois la volonté de l'exécutif gouvernemental d'intégrer le marketing des services gouvernementaux au sien propre par le biais de la promotion touristique. Cette volonté de l'exécutif se manifeste à nouveau en 1937 lors de la création de l'Office du tourisme, s'accentue en 1941 lorsque l'Office tombe sous la responsabilité du Premier ministre, et en 1943 quand le gouvernement amende la Loi sur le tourisme pour y ajouter le mot «publicité», légitimant ainsi la fonction marketing de l'appareil d'une part, et le caractère général des sujets visés d'autre part.

La création de l'Office provincial de publicité (OPP) en 1946 constitue un autre exemple d'intégration du marketing des services gouvernementaux à celui de l'exécutif puisque des objectifs comme la propagande aux fins d'éducation populaire servent à justifier le besoin qu'éprouve le gouvernement de coordonner et de développer la publicité des services gouvernementaux.

Lorsque l'OPP devient l'Office d'information et de publicité du Québec (OIPQ) en 1961, l'ajout du terme «information» à son titre indique le caractère officiel du mariage de l'information et de la publicité du gouvernement et des services gouvernementaux.

En 1971, pour la première fois depuis 1933, l'exécutif gouvernemental n'intègre pas à l'intérieur d'un appareil centralisé le marketing des services gouvernementaux, mais le confie plutôt aux ministères.

Dès 1978, la tendance revient à l'intégration du marketing des services gouvernementaux dans celui de l'exécutif par un appareil centralisé, avec la création du poste de sous-ministre adjoint à l'Information gouvernementale doté de responsabilités sur l'ensemble de l'information et de la publicité gouvernementales.

En 1981, l'exécutif, afin d'être plus présent dans la conception et l'élaboration à la fois de son marketing et de celui des services gouvernementaux, crée le Comité ministériel des communications.

L'exécutif gouvernemental conserve toujours une partie du marketing gouvernemental pour son usage propre, hors du giron de l'administration publique

Si l'on exclut les périodes 1946-1960 et 1966-1970, où l'ensemble du marketing gouvernemental est sous la responsabilité directe du Premier ministre, les autres périodes sont marquées par l'existence de deux types d'appareils administratifs: le premier qui est du ressort de l'exécutif a la responsabilité du marketing des services gouvernementaux; le second, chapeauté par le Cabinet du Premier ministre ou le ministère du Conseil exécutif, s'occupe du marketing de l'exécutif. Par exemple, entre 1970 et 1976, lorsque le marketing des services gouvernementaux est sous la tutelle des ministères et de leur ministre respectif, le marketing de l'exécutif gouvernemental est réalisé au Cabinet du Premier ministre ainsi qu'au ministère du Conseil exécutif sous la responsabilité de Charles Denis. Le fait que ce dernier cumule deux fonctions permet à l'exécutif de s'approprier une fraction du marketing gouvernemental qui est régie normalement par les ministères.

Entre 1978 et 1981, bien que le sous-ministre adjoint à l'Information gouvernementale soit responsable de l'ensemble de l'information et de la publicité gouvernementales, nous constatons que Jean-François Cloutier, conseiller en communications auprès du ministre du Conseil exécutif, entouré d'une petite équipe, réalise plusieurs campagnes de marketing gouvernemental. La venue du CMPC en octobre 1981 va provoquer un retour à la centralisation de l'ensemble du marketing gouvernemental entre les mains de l'exécutif.

L'exécutif gouvernemental fait appel à des ressources partisanes dans ses rapports avec l'administration publique en matière de marketing

En 1963, le comité chargé de mettre l'OIPQ sur pied comprend un permanent de la fédération libérale ainsi que des fonctionnaires du service civil et de l'OIPQ. La composition de ce comité met en relief la solidarité politique qui prévaut dans les rapports entre l'exécutif, le personnel politique et l'administration à cette époque. Il en est de même sous le gouvernement de l'Union nationale entre 1966 et 1970 avec le Comité informel sur les communications gouvernementales où siègent le chef de Cabinet du Premier ministre, le président de l'agence publicitaire SOPEC, le directeur général de l'OIPQ ainsi que le rédacteur en chef du quotidien unioniste *Montréal Matin* et relationniste de l'Union nationale.

De 1970 à 1976, le responsable de l'information au Cabinet du Premier ministre ainsi qu'au Conseil exécutif, Charles Denis, maintient une liaison constante avec le personnel de la Commission d'information du Parti libéral.

En 1982, les nominations d'anciens permanents du PQ, telles que Claude Plante à titre de sous-ministre adjoint à l'Information gouvernementale et Michèle Guay à titre de directrice de la recherche, démontrent aussi la nature partisane des administrateurs du marketing gouvernemental. Il en est de même pour plusieurs membres du personnel politique, entre autres Jean-Claude Picard, qui se joignent durant cette période au ministère des Communications.

Enfin, ces nominations témoignent d'une volonté de l'exécutif gouvernemental de renforcer la solidarité politique avec certains de ses gestionnaires.

De la propagande au marketing dans les appareils gouvernementaux de communication

Les conditions de l'émergence du marketing politique dans les appareils gouvernementaux de communication dans la province de Québec sont liées à la promotion des activités agricoles et de colonisation dans la seconde moitié du XIXe siècle. Cependant, les fonctions de publicité et de propagande ne seront pas officiellement identifiées avant mars 1933 dans la Loi relative au tourisme. En avril 1946, pour la première fois, un appareil de communication gouvernementale, l'OPP, est mis sur pied afin de diffuser une propagande sociologique et politique.

Le Rapport Montpetit-Pérusse d'octobre 1963 met en relief le besoin de faire appel à la rétroaction en matière d'information gouvernementale afin que l'exécutif et l'administration publique soient en mesure de répondre aux exigences de la population. Cette recommandation signale l'intégration de la publicité et de la propagande dans une approche plus globale que constitue le marketing.

De plus, nous décelons dans ce rapport, et dans celui du 29 janvier 1965 écrit par Roch Pérusse, les premières manifestations d'une information gouvernementale bureaucratisée qui suggère une séparation des pouvoirs entre l'exécutif gouvernemental et l'administration publique, tout en valorisant l'emploi de techniques de gestion moderne dans l'information gouvernementale tel le marketing.

En 1966, les conclusions du Rapport Loiselle-Gros D'Aillon soutiennent que l'information officielle va contribuer à créer une nouvelle forme de culture politique chez les Québécois favorisant ainsi une plus grande participation de ces derniers à la vie politique de la nation. Nous percevons dans un tel énoncé la volonté des auteurs du rapport, qui sont aussi des membres du personnel politique, de développer une propagande sociologique qui débouche en février 1967 sur de la propagande politique lorsque, dans une grève des enseignants, le gouvernement fait appel à une agence privée afin de transmettre à tous les médias d'information de la province un appel aux enseignants de la part du ministre de l'Éducation et de certains députés de l'Union Nationale où le contenu de l'information transmise constitue de la propagande partisane.

La dimension sociologique de la propagande durant cette période apparaît lors de la campagne publicitaire «Québec sait faire» réalisée par SOPEQ entre 1967 et 1969 pour le compte de l'OIPQ, campagne qui vise à développer le nationalisme économique des Québécois dans la conjoncture politique nationaliste.

Entre 1966 et 1970, la bureaucratisation de l'information gouvernementale et sa gestion dans une perspective marketing s'accentuent quoiqu'elles soient entièrement assujetties au contrôle du bureau du Premier ministre et du ministère du Conseil exécutif.

La période comprise entre 1971 et 1978 est à la fois anarchique et obscure: on assiste alors à une décentralisation de l'information gouvernementale dans les ministères, laquelle doit être coordonnée, en théorie, par la DGCG. Dans les faits toutefois, chaque ministère dispose à sa guise de ce nouveau levier de contrôle que constitue sa Direction des communications, favorisant ainsi le développement de fiefs qui ne font l'objet d'aucune coordination de la part d'un appareil autonome à l'intérieur de l'administration publique. D'autre part, la période est obscure parce qu'un puissant appareil de marketing se développe au bureau du Premier ministre lequel entretient avec tous les Cabinets de ministres et avec certains fonctionnaires dans leur Direction des communications respective des relations dont on peut difficilement mesurer l'impact sur la conception et la diffusion de l'information gouvernementale. Cependant, à la fin de cette période (1974-1976), nous constatons chez les fonctionnaires du MCQ un désir formel d'employer l'approche marketing afin d'améliorer la qualité des communications entre le citoyen et l'État.

La consécration de l'approche marketing dans les communications gouvernementales apparaît entre 1978 et 1981. Deux phénomènes issus de la réforme de l'information gouvernementale de juillet 1978 se superposent durant cette période: l'un associé à une centralisation de l'information entre les mains de l'exécutif par le biais du SMAIG, centralisation accompagnée d'une intensification de la déconcentration géographique dans les communications régionales avec Communication-Québec; l'autre lié à une intégration formelle de l'approche marketing dans le système bureaucratique, illustrée par les activités de perfectionnement des communicateurs gouvernementaux. Cette période est dominée par la diffusion d'une abondante propagande sociologique destinée à stimuler le sentiment d'appartenance des Québécois à leurs valeurs socioculturelles et à entraîner ainsi leur adhésion à l'autonomie du Québec telle que soutenue par le gouvernement du Parti québécois.

L'étude du Conseil du Trésor sur le coût des communications dans le secteur gouvernemental, déposée en mars 1984, démontre l'ampleur de la bureaucratisation qui prévaut, entre 1981 et 1985, dans la gestion et la répartition des moyens de communication gouvernementaux ainsi que l'importance de la place qu'ils occupent dans l'administration publique québécoise.

De plus, on constate que les exercices de centralisation des budgets d'information et de publicité des ministères entrepris par l'exécutif gouvernemental en 1966, puis en 1981-1982, visaient en partie à contourner la contrainte bureaucratique dans les fonctions de conception et de transmission des messages destinés à soutenir les extrants verbaux, tangibles et intangibles de l'exécutif, tandis que les réformes de l'information gouvernementale effectuées entre 1961 et 1965 et entreprises en juillet 1978 visaient surtout à coordonner l'information et la publicité issues de l'appareil bureaucratique.

La relation entre le politique et l'administratif en matière de marketing gouvernemental

La séparation des pouvoirs entre le politique et l'administratif en matière de marketing gouvernemental ne se pose administrativement dans l'État québécois qu'en janvier 1965 dans le rapport déposé à la Commission du service civil par Roch Pérusse et empiriquement qu'en mars de la même année lorsque l'on accuse Bona Arsenault de s'immiscer politiquement dans l'administration de l'OIPQ. Entre 1971 et 1976, la discrétion entourant les relations entre l'appareil de marketing dirigé par Charles Denis au Cabinet du Premier ministre et les Cabinets de ministres ne nous a pas permis d'identifier avec précision l'empreinte de l'exécutif sur l'administration publique.

De 1977 à 1985, de nombreuses tournées d'information ministérielles se sont déroulées avec le soutien des fonctionnaires. Cependant, nous avons été dans l'impossibilité de tracer une ligne de démarcation dans la nature des interactions qui ont prévalu entre les politiciens et les fonctionnaires durant cette période.

Ce n'est qu'en 1981, lors de la mise en œuvre de la campagne de marketing sur la constitution, que nous sommes en mesure d'identifier la participation, entre autres, de hauts fonctionnaires, tel Robert Normand, à la réalisation du marketing de l'exécutif gouvernemental.

En 1983-1984 et 1984-1985, l'intervention généralisée du CMPC dans l'administration publique, qui conduit entre autres à réorienter à des fins politiques la production de l'usine de panneaux routiers du ministère des Transports, confirme la présence du politique dans une fonction strictement administrative et instrumentale.

Enfin, les fonctionnaires interviewés lors de l'enquête Giroux en 1985 soutiennent que les politiciens s'ingèrent de plus en plus dans le champ administratif des communications gouvernementales favorisant ainsi une politisation de l'administration publique.

D'autre part, entre 1977 et 1985, la priorité accordée par l'exécutif gouvernemental au développement de son marketing et de celui des services gouvernementaux a engendré une bureaucratisation considérable des communications gouvernementales au ministère des Communications ainsi que dans son réseau Communication-Québec. D'ailleurs, la participation massive du MCQ et de Communication-Québec aux nombreuses tournées ministérielles d'information ainsi qu'à l'exécution du marketing de l'exécutif gouvernemental lors de la campagne sur la constitution de 1981 et lors des trois tables de concertation en 1983-1984 et 1984-1985 suggère la présence d'une propagande bureaucratique visant à légitimer l'efficacité de ses services auprès de l'exécutif et de la population.

Durant la période 1981-1985, l'exécutif gouvernemental conçoit l'information gouvernementale dans une perspective de développement de la société québécoise animée par une propagande sociologique constante, qui devient politique à l'occasion comme la table de concertation relative à l'essor économique en 1984-1985.

Centralisation et politisation en marketing gouvernemental

Le rapport centralisation-politisation en matière de marketing gouvernemental n'est pas toujours évident dans la période comprise entre 1929 et 1985. Il l'est dans la Loi relative à la radiodiffusion de 1929 lorsque le gouvernement s'attribue le droit de diffuser à la population l'information qu'il lui convient de transmettre. Par contre, il ne l'est pas dans les lois de 1933, 1937, 1941 et 1942, destinées à promouvoir l'industrie touristique. Il faudra attendre la création de l'OPP en 1946 pour déceler la présence de ce phénomène dans la loi qui place l'OPP sous la responsabilité du Conseil exécutif, c'est-à-dire du Premier ministre, et qui suggère dans son contenu la promotion des aspirations nationalistes de l'Union nationale et de son gouvernement.

En avril 1961, la création de l'OIPQ vise à sectoriser l'information et la publicité gouvernementales puisque cet organisme constitue désormais une entité autonome détachée de l'Office du film et de l'Office du tourisme. De plus, le fait qu'il soit placé sous l'autorité du secrétaire de la province entre 1961 et 1965, et qu'en conséquence il fasse l'objet d'ingérence politique de la part de ce dernier, semblerait indiquer qu'il est centralisé et victime d'une politisation intensive. Par contre, le contrôle sur les budgets et les contenus laissé à chaque ministère dans ses relations fonctionnelles avec l'OIPQ, et qui conduira d'ailleurs cet organisme au seuil de l'extinction, semble plutôt indiquer une tentative manquée de centralisation et de politisation.

Le 20 juillet 1966, un arrêté en conseil transfère le contrôle de l'OIPQ au Premier ministre. Cet arrêté s'accompagne quelques mois plus tard d'une centralisation complète des budgets de publicité et d'information des ministères à l'Office. La politisation de l'information et de la publicité gouvernementales durant la période 1966 à 1970 se décèle dans la composition organique de l'OIPQ constitué en partie de membres du personnel politique et de firmes partisanes qui exercent un contrôle direct sur la conception et la diffusion de l'information et de la publicité gouvernementales.

La DGCG succède à l'OIPQ en avril 1971 pavant la voie à une décentralisation administrative importante de l'information et de la publicité gouvernementales vers les ministères jusqu'en 1978, pendant que, de 1970 à 1976, l'exécutif gouvernemental centralise son marketing à l'intérieur du bureau du Premier ministre et du ministère du Conseil exécutif. Cette période se caractérise à la fois par l'absence d'une centralisation administrative de l'information et de la publicité gouvernementales et par une politisation de ces fonctions par l'exécutif gouvernemental. Il semble que ce phénomène pourrait être attribuable à la crainte du gouvernement Bourassa de susciter des critiques chez l'opposition parlementaire et la presse, comme ce fut le cas avec l'OIPQ sous le régime précédent. De plus, cette décentralisation répond aux recommandations contenues dans le document de travail rédigé par Jean-Paul L'Allier et ses fonctionnaires. À l'instar de Vincent Lemieux, nous croyons que, dans l'exercice du pouvoir, un parti opportuniste comme le Parti libéral est plus sujet à subir le contrôle des fonctionnaires qu'un parti programmatique[228].

Le gouvernement libéral d'alors craint l'administration publique privilégiant ainsi la diffusion d'une information et d'une publicité à caractère politique à partir du bureau du Premier ministre avec la collaboration ponctuelle de firmes publicitaires partisanes (Pierre Tremblay & Associés, Inter-Canada, l'Agence canadienne de publicité) qui, en retour de leurs services, se répartissent les contrats de publicité gouvernementaux. Le seul indice de centralisation de l'information que nous avons perçu entre 1970 et 1976 réside dans le fait que l'information

228 Vincent Lemieux, *op cit.*, p. 133.

politique des Cabinets ministériels doit obtenir l'approbation du bureau du Premier ministre avant d'être diffusée dans les médias.

L'information et la publicité gouvernementales dans les ministères fait l'objet, en 1978, d'une réforme en profondeur qui comporte une centralisation administrative et budgétaire de ses activités entre les mains du SMAIG, dont l'impact se traduit dans une politisation des finalités mêmes du contenu de l'information et de la publicité gouvernementales qui, désormais, se veut un puissant outil de propagande sociologique voué à la promotion de symboles nationaux.

Nous attribuons cette réforme au caractère programmatique du gouvernement péquiste dans l'exercice de son premier mandat, lequel, comme le constate Lemieux[229], prend des mesures pour contrôler les agents gouvernementaux afin d'appliquer les engagements contenus dans le programme du parti.

Le produit de cette réforme favorise le développement du marketing des services gouvernementaux et accroît ainsi l'efficacité de la communication entre l'État et le citoyen sans toutefois satisfaire l'exécutif gouvernemental dans la promotion de ses objectifs politiques. C'est pourquoi, en octobre 1981, l'exécutif gouvernemental se dote d'un Comité ministériel sur les communications pour accélérer l'intégration du marketing des services gouvernementaux à celui de l'exécutif en vue d'obtenir l'appui de la population à l'égard de ses politiques. Après un lent départ, ce nouveau véhicule, destiné à accroître la centralisation des fonctions d'information et de publicité déjà amorcée dans la réforme précédente, se politise rapidement avec la nomination de Jean-Claude Picard au poste de SMAIG en novembre 1983.

L'apex du rapport centralisation-politisation issu de la création du CMPC se situe entre l'automne 1983 et l'automne 1985 lorsque le Secrétariat du CMPC détourne les budgets de publicité des ministères par le mécanisme du gel des crédits au Conseil du Trésor pour les inclure dans les trois tables de concertation qui vont assurer un suivi à la campagne AGIR. Ainsi le contenu de l'information et de la publicité gouvernementales sera vraiment marqué durant cette période de l'empreinte de l'exécutif gouvernemental.

229 *Ibid.*, p. 138.

Conclusion

La pratique du marketing du gouvernement du Québec permet, même s'il ne s'agit que d'un cas d'espèce, la formulation de certains énoncés susceptibles d'améliorer notre connaissance des communications gouvernementales, de leur évolution historique ainsi que de leur gestion par l'exécutif gouvernemental et les fonctionnaires.

Premièrement, l'interdépendance de l'exécutif et de l'administration dans le traitement des exigences de la population à l'intérieur de leurs canaux de communication respectifs entraîne la présence à tous les niveaux de contraintes politiques, bureaucratiques et techniques[230] dans l'accomplissement des tâches administratives liées à la production d'extrants (décisions) qui génèrent un besoin de coordination et de gestion que l'approche marketing procure aux communications gouvernementales.

De plus, l'augmentation du nombre et de la variété des exigences à être traitées par les sous-systèmes exécutif et administratif, due à l'intervention croissante de l'État, implique une adaptation constante de leurs structures administratives, d'où l'importance croissante attribuée à la communication externe dans la gouverne de ces organisations. Afin de réduire les tensions sur le système politique, l'approche intégrée du marketing permet une conception des extrants issus des sous-systèmes administratif et exécutif qui est mieux adaptée à la rétroaction systémique. Ainsi, les interactions entre les producteurs d'intrants (la population) et d'extrants (les autorités) génèrent une activité marketing où l'orientation de l'information fait l'objet d'une gestion fondée sur la combinaison opératoire optimale du

230 Voir Alphonse Riverin *et al.*, *L'administrateur public: un être pifométrique*, Presses de l'Université du Québec, 1981, p. 151-159.

vecteur issu de l'approche intégrée qui permet aux autorités de moduler leurs extrants en fonction du niveau de tension engendré par les exigences de la population à l'égard du système politique.

Dans le sillon de la logique systémique, le fait que les fonctions d'analyse, de contrôle et de mise en œuvre des programmes conçus pour mener à bien les échanges avec la population soient dirigées par l'exécutif de concert avec les fonctionnaires de haut niveau hiérarchique indique le rôle central du marketing dans la conception des politiques d'ensemble du gouvernement.

De plus, il apparaît que la communication gouvernementale se développe en deux temps: à l'origine son vocabulaire législatif et administratif reflète des préoccupations liées à la coordination et au contrôle de la propagande et de la publicité destinées à la population dans une perspective de diffusion des messages; ensuite, ce vocabulaire accuse une orientation plus carrément marketing avec l'apparition de la rétroaction et de la gestion des appareils de communication afin que les messages transmis soient adaptés aux exigences de la population.

Au delà de cette évolution linguistique diachronique, le contrôle exercé par l'exécutif sur l'information gouvernementale et sur son organisation dans une administration publique est constant dans le temps et se réalise tantôt par voie de centralisation et tantôt par voie de déconcentration géographique des appareils de communication.

Les modalités du contrôle de l'exécutif varient cependant selon que le parti au pouvoir est de nature programmatique ou opportuniste. Ce contrôle, exercé par l'exécutif sur les finalités mêmes des fonctions du marketing gouvernemental, fait que la politisation de ces fonctions se traduit, pour ce qui est des partis opportunistes, dans l'intégration du marketing de l'exécutif au bureau du Premier ministre, au ministère du Conseil exécutif ou à un appareil extérieur à l'administration publique tandis que, pour un parti programmatique, l'emploi de l'appareil bureaucratique et la nomination de fonctionnaires partisans dans les postes clés de l'information gouvernementale constituent l'essentiel de ses moyens de politisation destinés entre autres à amarrer le marketing de l'exécutif à celui des services gouvernementaux afin de diffuser une propagande sociologique. Par ailleurs, le parti programmatique favorise le développement d'une solidarité politique des fonctionnaires de l'information gouvernementale à l'égard des objectifs partisans, ce phénomène étant moins apparent dans les partis opportunistes.

Dans un parti programmatique, le marketing de l'exécutif ainsi que celui des services gouvernementaux sont dominés par une propagande sociologique qui vise la promotion à long terme d'une idéologie, tandis que dans un parti opportuniste, la prépondérance est généralement accordée à la propagande politique à court terme, généralement de nature électorale.

Cependant, lorsqu'un parti programmatique garde le pouvoir pour une longue période, des traits opportunistes apparaissent dans son action puisque l'emploi de la rétroaction par l'intermédiaire des sondages et des études de comportement de l'électorat l'amène à juxtaposer à la dimension sociologique de sa propagande une dimension plus politique.

Prologue

Que faudrait-il faire pour en connaître plus sur différents aspects du marketing gouvernemental?

Sur le plan théorique, il serait intéressant d'approfondir le contenu du produit et du prix dans les approches intégrées des applications de marketing non commercial.

Aussi il serait important d'étudier l'évolution des pratiques de marketing gouvernemental dans le cadre de relations causales qui permettraient d'expliquer les comportements des gouvernements dans leur exercice de marketing. On pourrait ainsi tenter de répondre à des questions telles: Pourquoi un gouvernement donné a-t-il lancé tel type de campagne à tel moment donné? Pourquoi certains instruments sont-ils choisis et non d'autres? Qu'est-ce qui fait que certains gouvernements sont plus intéressés que d'autres à la pratique du marketing? Comment le marketing s'insère-t-il dans les rapports entre les gouvernements?

De plus, la recherche future devrait s'effectuer dans une perspective comparative qui englobera l'étude du marketing de plusieurs gouvernements. Ainsi pourraient être dégagées de l'ensemble des données celles qui confèrent un caractère général au marketing gouvernemental. Une telle généralité pourrait englober des gouvernements immédiatement comparables, tels ceux des provinces canadiennes, ou des gouvernements de sociétés semblables, selon leur degré de développement politico-économique par exemple. On devrait aussi analyser le contenu des messages issus de campagnes publicitaires liées à l'exercice du marketing gouvernemental.

D'autre part, dans la foulée de l'essai de Guy Giroux sur la communication gouvernementale, on aurait intérêt à se pencher sur les problèmes d'éthique que pose la pratique du marketing gouvernemental auprès des fonctionnaires et de la population.

Le caractère permanent du marketing propre à l'exercice du pouvoir par un parti politique devrait être évalué quant à sa capacité réelle de maintenir un gouvernement au pouvoir. Enfin, le développement de la propagande sociologique et politique dans l'exercice de gouverne devrait faire l'objet de recherche ultérieure.

Bibliographie

1. Livres et articles de revues

1.1 Livres

ALTHEIDE, D.L.
JOHNSON, J.M. **Bureaucratic propaganda,** Boston, Allyn & Bacon, 1980.

LOUPPE, Albert
BON, Jérôme **Marketing des services publics, l'étude des besoins de la population,** Paris, les éditions d'organisation, 1980, 204 p.

BORDEN, H.
MARSHALL, M.V. **Advertising management,** Illinois, Homewood, 1959.

BLUMENTHAL, S. **The permanent campaign,** Boston, Beacon Press, 1980, 264 p.

CHEVALLIER, J.
LOSCHAK, D. **La science administrative,** Paris, Librairie générale de droit et de jurisprudence, 1978, 576 p.

DOOB, L. **Public Opinion and propaganda,** New York, H. Holt Co., 1948, 600 p.

EASTON, David **Analyse du système politique,** Paris, Collection Armand Colin, 1974, 486 p.

ELLUL, Jacques **Propaganda, the formation of men's attitudes,** New-York, Knopf, 1969.

FAUCONNIER, G. **Mass media and society,** Louvain, Belgique, Universitaire Pers Lewen, 1975, 222 p.

FINE, Seymour — **The marketing of ideas and social issues,** New York, Praeger, 1981, 227 p.

GOURNAY, Bernard — **Introduction à la science administrative,** Paris, Armand Colin, 1966, 311 p.

GOW, James Iain — **Histoire de l'administration publique québécoise 1867-1970,** Montréal, Presses de l'Université de Montréal, 1986, 443 p.

KOTLER, Philip — **Marketing for non profit organizations,** New Jersey, Englewood Cliffs, Prentice-Hall, 2e édition, 1982, 517 p.

KOTLER, Philip — **Marketing management, analyse, planification et contrôle,** Paris, Publi-Union, 1973, 1041 p.

LE SEAC'H, Michel — **L'État marketing, comment vendre des idées et des hommes politiques,** Paris, éditions Alain Moreau, 1981, 325 p.

LEMIEUX, Vincent — **Systèmes partisans & partis politiques,** Québec, Presse de l'Université du Québec, 1985, 275 p.

LINDON, Denis — **Marketing politique et social,** Paris, éditions Dalloz, 1976, 248 p.

MENY, Yves — **Centralisation et décentralisation dans le débat politique français,** Bibliothèque constitutionnelle et de science politique, Paris, 1974.

PERMUT, Steven E.
MOKWA, Michael P. — **Government marketing, theory and practice,** New York, Praeger, 1981, 384 p.

QUALTER, Terence — **Opinion control in the democracies,** London, MacMillan Press Ltd., 1985, 317 p.

RIVERIN, Alphonse — **L'administrateur public: un être pifométrique,** Presses de l'Université du Québec, 1981, 404 p.

RUMILLY, Robert — **Maurice Duplessis et son temps,** Volume 2, 1944-1954, Montréal, éditions Fides, 1973, 750 p.

WREFORD'S, R.J.R.G. — **Propaganda, evil and good,** The XIXth century and after, 1923.

1.2 Articles de revues spécialisées

ATKINSON, M.
COLEMAN, W.D. "Bureaucrats and politicians in Canada: an examination of the political administration model", **Comparative political studies,** vol. 18, nº 1, 1er avril 1985, p. 58-80.

DARMON, René Y. «La communication publicitaire», chapitre II dans Claude Cossette (sous la direction de), **Communication de masse, consommation de masse,** Sillery, éditions du Boréal Express, 1975, p. 50-51.

DION, Stéphane «La politisation des administrations publiques: éléments d'analyse stratégique», **Administration publique du Canada,** vol. 29, nº 1, printemps 1986, p. 95-117.

KOTLER, Philip "A generic concept of marketing", **Journal of marketing,** vol. 36, avril 1972, p. 46-54.

LASSWELL, H. "Propaganda", *In:* **Encyclopedia of the Social sciences,** vol. II, New York, MacMillan, 1948, p. 521-527.

LEMIEUX, Vincent
TURGEON, Jean «La décentralisation: une analyse structurale», **Revue canadienne de science politique,** vol. XIII, nº 4, décembre 1980, p. 691-710.

NORMAND, Robert «Les relations entre les hauts fonctionnaires et le ministre», **Administration publique du Canada,** vol. 27, nº 4, hiver 1984, p. 522-541.

ROSE, Richard "The variability of party government: a theoretical and empirical critique", **Political studies,** vol. XVII, nº 4, 1969, p. 413-445.

SCHNEYDER, P. «L'État et ses relations publiques», **Revue politique et parlementaire,** nº 771, octobre 1966.

SCHNEYDER, P. «L'administration et les relations publiques», **Revue politique et parlementaire,** nos 772 - 773, novembre 1966.

1.3 Thèses et mémoires

GIROUX, Guy — **La communication gouvernementale: essai éthicologique,** Mémoire de maîtrise, Université du Québec à Rimouski, juillet 1979, 169 p.

GIROUX, Guy — **L'Éthique professionnelle des communicateurs gouvernementaux du Québec,** Recherche post-doctorale réalisée sous les auspices du Groupe de recherche ETHOS de l'UQAR, Rimouski, 1986, 132 p.

ST-LAURENT, M.C. — **Les moyens non contraignants de défense d'un État face à une menace sécessioniste: le cas canadien 1980,** Mémoire de maîtrise en Science Politique, Université de Montréal, mai 1986.

2. Documents gouvernementaux

2.1 Assemblée législative du Québec Journal des débats

2.1.1 Débats de l'Assemblée

QUÉBEC — Première session — 28e législature, vol. 5, #87, 27 juin 1967, p. 4582-4600.

QUÉBEC — Troisième session —28e législature, vol. 7, #66, 21 juin 1968, p. 3040-3059.

2.2 Assemblée nationale du Québec Journal des débats

2.2.1 Débats de l'Assemblée

QUÉBEC — Quatrième session — 28e législature, vol. 8, #43, 22 mai 1969, p. 1904-1948.

QUÉBEC — Quatrième session — 31e législature, vol. 21, #8, 21 mars 1979, p. 264-268.

QUÉBEC Quatrième session — 31e législature, vol. 21, #101, 31 mars 1980, p. 5688-5689.

QUÉBEC Sixième session — 31e législature, vol. 23, #9, 21 novembre 1980, p. 283-287.

2.2.2 Débats en Commission parlementaire

QUÉBEC **Étude des crédits du ministère des Communications 1978-79,** Troisième session — 31e législature, #16, 4 avril 1978, p. B-679-B-882.

QUÉBEC **Étude des crédits du ministère des Communications 1979-80,** Quatrième session — 31e législature, #48, 24 avril 1979, p. B-2049-B-2112.

QUÉBEC **Étude des crédits du ministère des Communications 1980-81,** Quatrième session — 31e législature, #274, 1er avril 1980, p. B-13013-B-13105.

QUÉBEC **Étude des crédits du ministère des Communications 1981-82,** Première session — 32e législature, #10, 4 juin 1981, p. B-326-B-409.

QUÉBEC **Étude des crédits du ministère des Communications 1982-83,** Troisième session — 32e législature, #74, 6 avril 1982, p. B-3323-B-3394.

QUÉBEC **Étude des crédits du ministère des Communications 1983-84,** Quatrième session — 32e législature, #15, 19 avril 1983, p. B-811-B-887.

QUÉBEC **Étude des crédits du ministère des Communications 1984-85,** Quatrième session — 32e législature, #6, 17 avril 1984, p. CC-153-CC-181.

2.3 Étude des crédits du ministère des Communications 1977-78 à 1985-86

QUÉBEC **Étude des crédits du ministère des Communications 1977-78,** avril 1977, 42 p.

QUÉBEC **Étude des crédits du ministère des Communications 1978-79,** avril 1978, 47 p.

QUÉBEC **Étude des crédits du ministère des Communications 1979-80,** avril 1979, 79 p.

QUÉBEC **Étude des crédits du ministère des Communications 1980-81,** avril 1980, 81 p.

QUÉBEC **Étude des crédits du ministère des Communications 1981-82,** mai 1981, 72 p.

QUÉBEC **Étude des crédits du ministère des Communications 1982-83,** avril 1982, 66 p.

QUÉBEC **Étude des crédits du ministère des Communications 1983-84,** avril 1983, 68 p.

QUÉBEC **Étude des crédits du ministère des Communications 1984-85,** avril 1984, 56 p.

QUÉBEC **Étude des crédits du ministère des Communications 1985-86,** mars 1985, 70 p.

2.4 Rapports

LOISELLE, Jean
GROS-D'AILLON, P. **Rapport sur les communications du gouvernement du Québec,** volumes I et II, Bibliothèque de la Législature, 8 mai 1970, 286 p.

LOISELLE, Jean
GROS-D'AILLON, P. **Annexes au rapport sur les communications du gouvernement du Québec,** volumes I et II, Bibliothèque de la Législature, 8 mai 1970.

Ces annexes contiennent les rapports suivants:

- ANNEXE II: Rapport Montpetit-Pérusse, **Structure administrative et fonctionnelle de l'information officielle du Québec,** adopté par le Conseil des ministres le 9 octobre 1963, 30 pages.

- ANNEXE III: Roch Pérusse, officier de personnel, Commission du service civil, **Rapport à la Commission du service civil concernant l'organisation des bureaux de l'information dans les ministères,** 25 janvier 1965, 26 p.

- ANNEXE IV: Paul-Olivier Lalonde, chef, Division de la rédaction, Office d'information et de publicité du Québec, sujet: **Orientation de l'Office et élaboration d'un programme pour 1965-66,** 17 mai 1965, 4 pages.

- ANNEXE V: Lorenzo Paré, **Notes pour l'honorable M. Johnson sur l'Office de l'information,** été 1966, 36 pages.

- ANNEXE VI: **Rapport sur les effectifs; l'Office d'information et de publicité,** 22 novembre 1966, 12 pages.
Annexe au rapport sur les effectifs, 22 novembre 1966, 6 pages.

- ANNEXE VII: L'Office d'information et de publicité, **L'administration et les services techniques, la publicité, l'information, la régionalisation,** aucune date indiquée, 22 pages.

- ANNEXE VIII: **Normes et procédures concernant l'information et la publicité du gouvernement du Québec,** 5 février 1968, 30 pages.

- ANNEXE IX: Roger Cyr, OIPQ, **Mémoire sur la réorganisation du Service d'information,** ministère de la Santé, ministère de la Famille et du Bien-être social, 12 octobre 1967, 31 pages.

LEMIEUX, Vincent
DALPHOND, Edgar **La communication inachevée... Recherche sur la relation État-citoyen,** Rapport préparé pour la Direction générale des communications gouvernementales du MCQ, juillet 1974.

2.5 Lois

QUÉBEC Georges V, chapitre 31, **Loi relative à la radiodiffusion en cette province** (sanctionnée le 4 avril 1929).

QUÉBEC Georges V, chapitre 36, article 2, **Loi concernant le tourisme** (sanctionnée le 29 mars 1933).

QUÉBEC Georges VI, chapitre 48, **Loi relative au tourisme** (sanctionnée le 27 mai 1937).

QUÉBEC Georges VI, chapitre 22, article 18, **Loi concernant le pouvoir exécutif** (sanctionnée le 9 mai 1941).

QUÉBEC Georges VI, chapitre 58, **Loi relative au tourisme** (sanctionnée le 13 mai 1942).

QUÉBEC Georges VI, chapitre 56, **Loi autorisant la création d'un service provincial de radiodiffusion** (sanctionnée le 20 avril 1945).

QUÉBEC Georges VI, chapitre 40, **Loi relative au tourisme** (sanctionnée le 26 mai 1943).

QUÉBEC Georges VI, chapitre 44, **Loi pour instituer un service provincial de publicité** (sanctionnée le 17 avril 1946).

QUÉBEC Elizabeth II, chapitre 20, **Loi modifiant la Loi du Secrétariat** (sanctionnée le 27 avril 1961).

QUÉBEC **Projet de loi 37,** sanctionné le 12 décembre 1972, Troisième session — 32e législature, article 2.

QUÉBEC Cinquième session — 32e législature, Projet de loi #197, **Loi sur les sondages et la publicité gouvernementale,** Éditeur officiel du Québec, 1984, Présentation Richard French, député de Westmount.

2.5.1 Proclamations et arrêtés en conseil

2.5.1.1 Arrêtés en conseil

- **A.C. #2250,** concernant monsieur Guy Gagnon, 16 novembre 1961.
- **A.C. #1616,** concernant monsieur Gaëtan Major, 27 septembre 1962.
- **A.C. #783,** concernant certaines propositions approuvées par le Conseil de la Trésorerie, 14 mai 1963.
- **A.C. #1763,** concernant monsieur René Montpetit, 16 octobre 1963.
- **A.C. #53,** concernant certaines propositions approuvées par le Conseil de la Trésorerie, 15 janvier 1964.
- **A.C. #160,** concernant certaines propositions approuvées par le Conseil de la Trésorerie, 29 janvier 1964.

- **A.C. #898,** concernant une modification au plan d'organisation de l'OIPQ, 6 mai 1964.
- **A.C. #157,** concernant le Service de polycopie, 1er février 1966.
- **A.C. #1146,** concernant l'Office d'information et de publicité du Québec, 20 juillet 1966.
- **A.C. #1388,** concernant la création d'une nouvelle Direction générale des communications gouvernementales, 7 avril 1971.
- **A.C. #448-78,** concernant monsieur Jean Laurin, 22 février 1978.

2.6 Documents de l'exécutif

2.6.1 Secrétariat de la province

- **Rapport annuel du Secrétariat de la province de Québec 1964-65,** secrétaire: Bona Arseneault, juin 1965, 63 p.

2.6.2 Conseil des ministres

- **Mémoire au Conseil des ministres concernant l'information gouvernementale,** le ministre des Communications Louis O'Neill, 18 mai 1978, 11 pages, 5 annexes.
- **Réunion du Conseil des ministres,** sujet: **L'information gouvernementale, décision 78-239,** 12 juillet 1978, Louis Bernard, secrétaire général du Conseil exécutif, Réf.: 251-8.
- **Mémoire au Conseil des ministres concernant l'information gouvernementale,** le Premier ministre, 15 septembre 1981, reçu au Secrétariat général, 14 octobre 1981, 5 pages. Ce document est accompagné de la décision nº 81-247, sujet: l'information gouvernementale, 20 octobre 1981. Réf.: 222-1.
- **Mémoire au Conseil des ministres,** de Jean-François Bertrand, objet: **Programme de communication 1984-85,** 10 février 1984, 2 p.
- **Mémoire au Conseil des ministres,** de Jean-François Bertrand, ministre des communications et président du CMPC, sujet: **Le programme de Communication 1985-86.**

2.6.2.1 Décrets

- **Décret #2265-81 concernant un programme de communication relatif à la révision constitutionnelle,** 26 août 1981, le greffier du Conseil exécutif.
- **Décret #2325-81, concernant un programme de communication relatif à la révision constitutionnelle,** 2 septembre 1981, le greffier du Conseil exécutif.

2.6.2.2 Notes

- Gouvernement du Québec, ministère du Conseil exécutif, le ministre d'État au Développement économique, note à M. Bernard Landry de Jean-François Cloutier, sujet: **Mémoire concernant la création d'une Direction des communications au ministère du Conseil exécutif,** 6 octobre 1978.

2.6.2.3 Décisions

- Gouvernement du Québec, réunion du Conseil des ministres, décision #84-64, sujet: **Programme de communications 1984-1985,** Louis Bernard, secrétaire général du Conseil exécutif, Réf: 61-4, 14 mars 1984.

2.6.3 Ministère du Conseil exécutif

2.6.3.1 Notes

- Note à Louis Bernard, secrétaire général, de Jean-François Cloutier, conseiller en communication, sujet: **De l'urgence de reformuler l'actuel mémoire sur l'information gouvernementale,** le 20 juin 1978.
- Groupe de travail sur les communications constitutionnelles, **Liste et coûts des actions de communications recommandées,** 26 août 1981, non paginé. Cependant, un devis de communication ainsi que quatres annexes totalisant 64 pages accompagnent ce document.
- Note à monsieur Jacques Parizeau, président du CMPDE, du Secrétariat au Développement économique, objet: **Sommaire des consultations menées auprès des ministres à l'issue du CMPDE du 16 août dernier,** 29 août 1983.

2.6.3.2 Rapports internes

- Comité ministériel de coordination des négociations dans le secteur public et parapublic, **Le coup d'envoi des négociations par le gouvernement** (Plan de communications: Hypothèses de cheminement), signé par Jean-François Cloutier, 7 septembre 1982.
- Mémoire au CMPDE de Jacques Parizeau, président du conseil du CMPDE, objet: **Programme de communications 1983-1985.**

2.6.4 Bureau du Premier ministre

2.6.4.1 Notes

- Cabinet du Premier ministre, Mémo pour monsieur Claude Trudel de Charles Denis, objet: **Description de mes tâches,** 23 février 1972, 3 p.
- Cabinet du Premier ministre, **Mémo à tous les ministres,** de Charles Denis, 17 janvier 1974, 3 p.
- Mémoire au Cabinet du Premier ministre, **Propositions concernant l'élaboration d'une stratégie globale de communications,** par Jean-François Cloutier, 21 janvier 1978 (une lettre à Jean-Roch Boivin ainsi qu'une note de service à Robert Mackay, attaché de presse du Premier ministre, les deux en date du 21 janvier 1978, accompagnent ce mémoire).
- **Lettre de Jean-Roch Boivin, chef de Cabinet du Premier ministre à Jean-François Cloutier, conseiller en communication, Cabinet du ministre d'État au Développement économique,** Québec, 27 janvier 1978.
- Note à MM. Jean-Roch Boivin et Michel Carpentier, de Jean-François Cloutier, objet: **De l'organisation du Service des communications du Cabinet du Premier ministre,** 12 mai 1981.
- Note au Premier ministre de MM. Jean-François Bertrand, Yves Bérubé, Denis Lazure, Bernard Landry, Gilbert Paquette, Jacques Brassard, objet: **Programme de communication 1984-85,** 10 février 1984, 8 pages, ainsi que des annexes A, B, C, D, E.

2.6.4.2 Documents administratifs internes

- René Lévesque, **Directive aux membres du Conseil exécutif au sujet de la tenue de conférence de presse, l'annonce de nouvelle politique et la publication de documents,** Québec, 14 août 1980, 1 p.
- Jean-François Cloutier, **Le Québec en état de légitime défense,** 16 juin 1981, 24 pages excluant l'annexe 1.

2.7 Documents des ministères

2.7.1 Ministère des Communications

2.7.1.1 Documents de travail

- Jean-Paul L'Allier, ministre, **Pour une politique québécoise des communications,** mai 1971, 65 p., annexe: 16 p.
- Jean-Paul Quinty, **L'organisation du feedback rendu,** Document de travail pour les communications régionales, décembre 1976, 29 p.
- Claude Girard, directeur, Communication-Québec, Mauricie-Centre du Québec, **Réflexions sur l'orientation et l'organisation de la Direction générale des communications gouvernementales,** décembre 1976, 30 p.
- Lucien Bouchard, Claude Girard, Pierre-Paul Lafortune, **L'agent d'information et Communication-Québec,** Québec, décembre 1976, 29 pages.
- **Les communications gouvernementales, Rapport préliminaire du Comité de travail des directeurs de communications,** Québec, 20 septembre 1977, 58 p. excluant les 22 annexes.
- Le Secrétariat du Conseil des directeurs de communications, **La Direction des communications, Raison d'être, fonctions, domaines d'activités,** 2 août 1978.

2.7.1.2 Rapports internes

- Plurimar, **Étude sur le comportement des citoyens québécois,** 26 septembre 1973, 30 p.
- Jean-Paul Quinty, **La communication inachevée: le temps de l'action,** Québec, 1974, 70 p.

- Daniel Giroux, Maria S. Rousseau, **Analyse des habitudes d'écoute de la radio et de la télévision des 9 régions administratives du Québec,** Service du développement des médias, décembre 1976, 118 p.
- **Les communicateurs gouvernementaux, description, recommandations, projets,** Division de l'organisation et de la recherche (DGCG), 20 octobre 1977, 66 p.
- IQOP Inc., **Analyse des résultats d'une étude sur les services de renseignements de Communication-Québec dans la région de la Côte-Sud,** 1978, 20 p.
- André Labrie et Daniel Cloutier, **Analyse documentaire des perceptions des Québécois en matière de communications,** 2e trimestre 1984, 94 p.
- IQOP Inc., **Évaluation de la campagne publicitaire DECLIC,** février 1985, 110 p.
- Groupe de publicité Complice, **Enquête sur l'évaluation de la campagne DECLIC, Complément d'analyse,** Montréal, avril 1985, 38 p.

2.7.1.3 Documents administratifs internes

- Bureau du sous-ministre, 3 lettres du sous-ministre Yvon Tremblay adressées à Jean-Claude Picard S.M.A.I.G. accordant les avis préalables suivants: 17 mai 1984, **Achats de produits québécois,** n° 07-84-05-01-338; 17 mai 1984, **Emplois liés à la Jeunesse,** n° 08-84-05-01-340; 19 mai 1984, **Essor économique,** n° 08-84-05-01-339.
- Bureau du sous-ministre, lettre de Yvon Tremblay à Jean-Claude Picard, objet: **Avis préalable** n° 09-84-12-07-340B, Québec, 19 décembre 1984.

2.7.1.4 Rapports des activités du MCQ

- 1972-1973: Bibliothèque de la Législature, 28 novembre 1974, 116 pages.
- 1973-1974: Bibliothèque de la Législature, 26 mai 1975, 97 pages.
- 1974-1975: Bibliothèque de la Législature, 22 juin 1976, 63 pages.
- 1975-1976: Bibliothèque de la Législature, 2 septembre 1977, 88 pages.

2.7.1.5 Rapports annuels du MCQ

- 1976-1977: Bibliothèque de la Législature, 18 avril 1978, 74 pages.
- 1977-1978: Bibliothèque nationale du Québec, deuxième trimestre 1979, 71 pages.
- 1978-1979: Bibliothèque administrative, 19 juillet 1980, 80 pages.
- 1979-1980: Bibliothèque administrative, 3 octobre 1980, 65 pages.
- 1980-1981: Bibliothèque administrative, quatrième trimestre 1981, 31 pages.
- 1981-1982: Éditeur officiel, deuxième trimestre 1982, 33 pages.
- 1982-1983: Direction générale des publications gouvernementales, deuxième trimestre 1983, 27 pages.
- 1983-1984: Direction générale des publications gouvernementales, deuxième trimestre 1984, 31 pages.
- 1984-1985: Direction générale des publications gouvernementales, deuxième trimestre 1985, 31 pages.

2.7.1.6 Discours du ministre

- **Notes pour l'allocution de monsieur Jean-François Bertrand,** Premier symposium canadien sur la publicité gouvernementale (fédérale, provinciale, municipale), Montréal, 19 novembre 1982, 11 p.
- **Notes pour l'allocution de monsieur Jean-François Bertrand,** Congrès de la Société des relationnistes du Québec, Québec, 10 mai 1985, 24 p.

2.7.1.7 Devis

- **Le Québec en état de légitime défense,** 26 août 1981, 17 pages.
- **Campagne de communication relative à l'essor économique,** 3 mai 1984, 32 p.
- **Campagne de publicité sur l'achat de produits québécois,** 16 mai 1984, 30 p.
- **Campagne de communication relative à la formation et à l'insertion sociale et professionnelle des jeunes,** 16 mai 1984, 21 p.

- **Campagne de communication relative à l'essor économique 1985-86,** 2 pages (document n'est pas daté).
- **Campagne de communication sur la promotion des programmes liés à la jeunesse et des autres activités gouvernementales menées dans le cadre de l'Année internationale de la jeunesse,** 2e campagne, 1985-86, 5 pages.
- Secrétariat du CMPC en collaboration avec le ministère des Affaires culturelles, le ministère de l'Agriculture, des Pêcheries et de l'Alimentation, le ministère de l'Industrie et du Commerce et le ministère du Tourisme, **Campagne de publicité sur l'achat de produits québécois,** notes pour la préparation d'un devis, 1985, 2 p.

2.7.1.8 Communiqués

- **L'information gouvernementale sera plus coordonnée,** source: Pierre Pourchelle, Service des communications, Québec, 13 juillet 1978.

2.7.2 Conseil du Trésor

2.7.2.1 Décisions C.T.

- **C.T. 114168 concernant la modification du plan d'organisation administrative supérieure du MCQ,** 29 août 1978.
- **C.T. 118854 concernant le plan d'organisation administrative supérieure du MCQ,** 1er mai 1979.
- **C.T. 129386 concernant le plan d'organisation administrative supérieure du MCQ,** 7 octobre 1980.
- **C.T. 143301 concernant la modification du plan d'organisation administrative supérieure du MCQ,** 15 mars 1983.
- **C.T. 151540 concernant l'information gouvernementale visant l'achat de produits québécois,** 3 juillet 1984.
- **C.T. 151539 concernant l'information gouvernementale visant les programmes d'emploi liés à la jeunesse,** 3 juillet 1984.
- **C.T. 151682 concernant l'information gouvernementale visant l'essor économique,** 10 juillet 1984.
- **C.T. 154539 concernant le Secrétariat du Comité ministériel des communications,** 29 janvier 1985.
- **C.T. 155443 concernant le Secrétariat du CMPC,** 19 mars 1985.

- **C.T. 156313 concernant l'information gouvernementale,** 30 avril 1985.
- **C.T. 156409 concernant l'information gouvernementale,** 7 mai 1985.
- **C.T. 156410,** 7 mai 1985.

2.7.2.2 Rapports

- **Le coût et la productivité du secteur des communications au gouvernement du Québec 1982-83,** Groupe d'Étude sur les fonctions administratives horizontales, mars 1984, 70 p.

2.7.2.3 Réunions

- Séance du 19 novembre 1985, **Communications: rescinder la décision 156313 du 30 avril 1985.**

2.7.3 Ministère de la Fonction publique

BRASSARD, J.
LAMIRANDE, R.
TESSIER, B. — **Rapport sur la consultation des directeurs de communications de la fonction publique du Québec concernant l'élaboration d'une programmation de perfectionnement,** Document préparé conjointement par le ministère des Communications et le ministre de la Fonction publique du Québec, 10 avril 1978, 44 p.

QUÉBEC — Commission de la Fonction publique du Québec, concours de recrutement, spécialiste en marketing social, concours H1043AR/TG, date limite: 5 janvier 1979, **Le Soleil,** 12-12-1978.

QUÉBEC — Commission de la Fonction publique du Québec, Secrétariat permanent du Conseil des directeurs de communications, **Activités de perfectionnement des communicateurs gouvernementaux,** Québec, automne 1980, 22 pages.

QUÉBEC Ministère de la Fonction publique, Secrétariat exécutif du Conseil des directeurs de communications, **Activités de perfectionnement des communicateurs gouvernementaux,** novembre 1980, 38 p., hiver et printemps 1981,

2.7.4 Ministère des Finances

QUÉBEC **Comptes publics de la province de Québec, Détail des dépenses,** ministère des Finances, 1929 à 1976.

QUÉBEC Gouvernement du Québec, **Comptes publics, Détail des dépenses,** ministère des Finances, Imprimeur de la Reine, 1976 à 1986.

QUÉBEC Budget 1984-85, **Discours sur le budget,** 22 mai 1984.

3. Documents non gouvernementaux

The Conference Board of Canada, **Advocacy advertising: propaganda or democratic right?**, edited by Duncan Mc Dowall, A report from the Public Affairs Research Division of the Conference Board of Canada, May 1982, 107 p.

Media measurement services, Elliott Research Corporation, **Top 100 advertisers in Canada,** 1970-1985, Toronto, 15 p.

Le mémorial du Québec, Le Québec de 1939 à 1952, Tome VI, La Société des éditions du Mémorial, Montréal, 1979, 373 p.

4. Protocoles d'entretien

AKKIM, Roger, directeur des services administratifs, ministère des Communications, Québec, 18 septembre 1986.

BERNARD, Louis, secrétaire général du Conseil exécutif 1977-1985, Québec, 12 novembre 1986.

BERTRAND, Jean-François, ministre des Communications 1981-1985, Québec, 19 septembre 1986.

CLOUTIER, Jean-François, conseiller en communication au ministère du Conseil exécutif 1977-1983, Québec, 25 septembre et 9 octobre 1986.

COSSETTE, Jean, directeur du personnel, ministère des Communications, Québec, 12 novembre 1986.

DENIS, Charles, directeur des communications, bureau du Premier ministre, 1970-1976, Montréal, 22 décembre 1986.

DORVAL, André, directeur des communications, ministère des Communications (anciennement du CDC), Québec, 24 septembre 1986.

DEROME, Jacques, directeur des communications, ministère des Transports (anciennement du CDC), Québec, 26 septembre 1986.

FRENCH, Richard, ministre des Communications, Montréal, 10 octobre 1986.

GAGNON, Jean-Pierre, secrétaire pour le Secrétariat du Comité ministériel permanent sur les communications 1984-1986, Québec, 17 et 24 septembre 1986, et 9 octobre 1986.

GIROUX, Guy, fonctionnaire, Commission des droits de la personne, Québec, 9 juillet 1986.

LECAVALIER, Claude, directeur du marketing, ministère des Communications, 1984-1986, Québec, 25 septembre 1986.

LOISELLE, Jean, conseiller en communications et chef de Cabinet du Premier ministre, 1966-1970, Montréal, 3 et 4 décembre 1986, 6 février 1987.

LAURIN, Jean, sous-ministre adjoint à l'Information gouvernementale, 1978-1981, Montréal, 3 octobre 1986.

LAVALLÉE, M., Service des expositions, ministère des Communications, Québec, 18 mars 1986.

MACKAY, Robert, attaché de presse du Premier ministre René Lévesque, 1976-1982, Québec, 13 novembre 1986.

O'NEILL, Louis, ministre des Communications, 1976-1979, Québec, 24 septembre 1986.

PICARD, Jean-Claude, sous-ministre adjoint à l'Information gouvernementale, 1983-1986, Québec, 9 avril 1986.

QUINTY, Jean-Paul, agent d'information au CMPC, Québec, 9 octobre 1986.

5. Articles de journaux

BRUNET, Gilbert — «Le ministre des Communications à *La Presse*, L'usage idiot des fonds publics, c'est fini», **La Presse,** 6 septembre 1986, p. 39

BOUCHARD, J.
GRAVEL, P. «Information ou propagande gouvernementale», **La Presse,** 4 novembre 1983, p. A-4.

DESCÔTEAUX, B. «Jean-François Bertrand, l'information gouvernementale doit être coordonnée au niveau politique», **Le Devoir,** 7 juillet 1981, p. 6.

DESCÔTEAUX, B. «Jean-Claude Picard nommé Sous-ministre adjoint à l'information gouvernementale», **Le Devoir,** 3 novembre 1983, p. 7.

FALARDEAU, Louis «Jean-Claude Picard Sous-ministre adjoint aux communications», **La Presse,** 3 novembre 1983, p. A-11.

FELTEAU, Cyrille «Dans l'optique du pouvoir», **La Presse,** 15 février 1967, p. 4.

FRÉCHETTE, N. «Informa-tour veut assurer une présence continue du gouvernement québécois auprès du public», **Le Soleil,** 6 mars 1973, p. 15.

GAGNON, Lysiane **La Presse,** 26 mars 1979, p. A-11.

LAPLANTE, Laurent «L'information gouvernementale, 1-Un mariage de raison farfelu», **Le Devoir,** 27 novembre 1971, p. 4.

LAPLANTE, Laurent «L'information gouvernementale, 2-Un personnel domestiqué», **Le Devoir,** 29 novembre 1971, p. 4.

LESAGE, Gilles «Le gouvernement à ses divers paliers ne saisit pas encore l'importance des communications», **Le Devoir,** 11 février 1972, p. 2.

LESAGE, Gilles «Douze questions au ministre L'Allier», **La Presse,** 14 décembre 1972, p. A-5.

LESAGE, Gilles «Québec veut accroître ses services d'information», **La Presse,** 20 janvier 1973, p. A-6.

LESAGE, Gilles «Plutôt qu'une agence, L'Allier veut créer un conseil de la publicité gouvernementale», **La Presse,** 12 mai 1973, p. A-7.

LESAGE, Gilles «Pour qui sont ces forces?», **Le Devoir,** 29 mars 1985, p. 10.

LESAGE, Gilles «Richard French: il faut régir l'usage de la publicité et des sondages», **Le Devoir,** 8 juillet 1983, p. 1.

LESAGE, Gilles «Pour la relance de quoi?», **Le Devoir,** 19 juillet 1984, p. 6.

LESAGE, Gilles «L'offensive d'automne du gouvernement Lévesque», **Le Devoir,** 17 juillet 1984, p. 1.

LESAGE, Gilles «L'offensive d'automne du gouvernement Lévesque (2), Selon les devis fournis aux agences de publicité, il faut faire ressortir la concertation», **Le Devoir,** 18 juillet 1984, p. 1.

PICARD, J.-C. «L'UN dénonce les abus du gouvernement», **Le Devoir,** 21 mars 1979, p. 1.

PELLETIER, Jean «Cette conscience collective nationale», **La Presse,** 3 mai 1977, p. A-4.

Presse Canadienne «Dépenses de publicité du gouvernement du Québec: Bertrand explique la hausse par la publicité touristique, la visite du pape et Été 84», **La Presse,** 27 mars 1985, p. A-4.

«L'Allier amende son projet de loi 36», **La Presse,** 30 juin 1972, p. A-10.

TOURANGEAU, P. «Le Conseil du Trésor a approuvé avec dix mois de retard le programme 84-85», **La Presse,** 26 mars 1985, p. A-4.

TOURANGEAU, P. «Québec, les crédits de publicité gouvernementale sont approuvés après dix mois de retard», **Le Devoir**, 26 mars 1985, p. 2.

Annexes

A

Évolution des dépenses relatives au marketing gouvernemental du Québec, 1929-1985

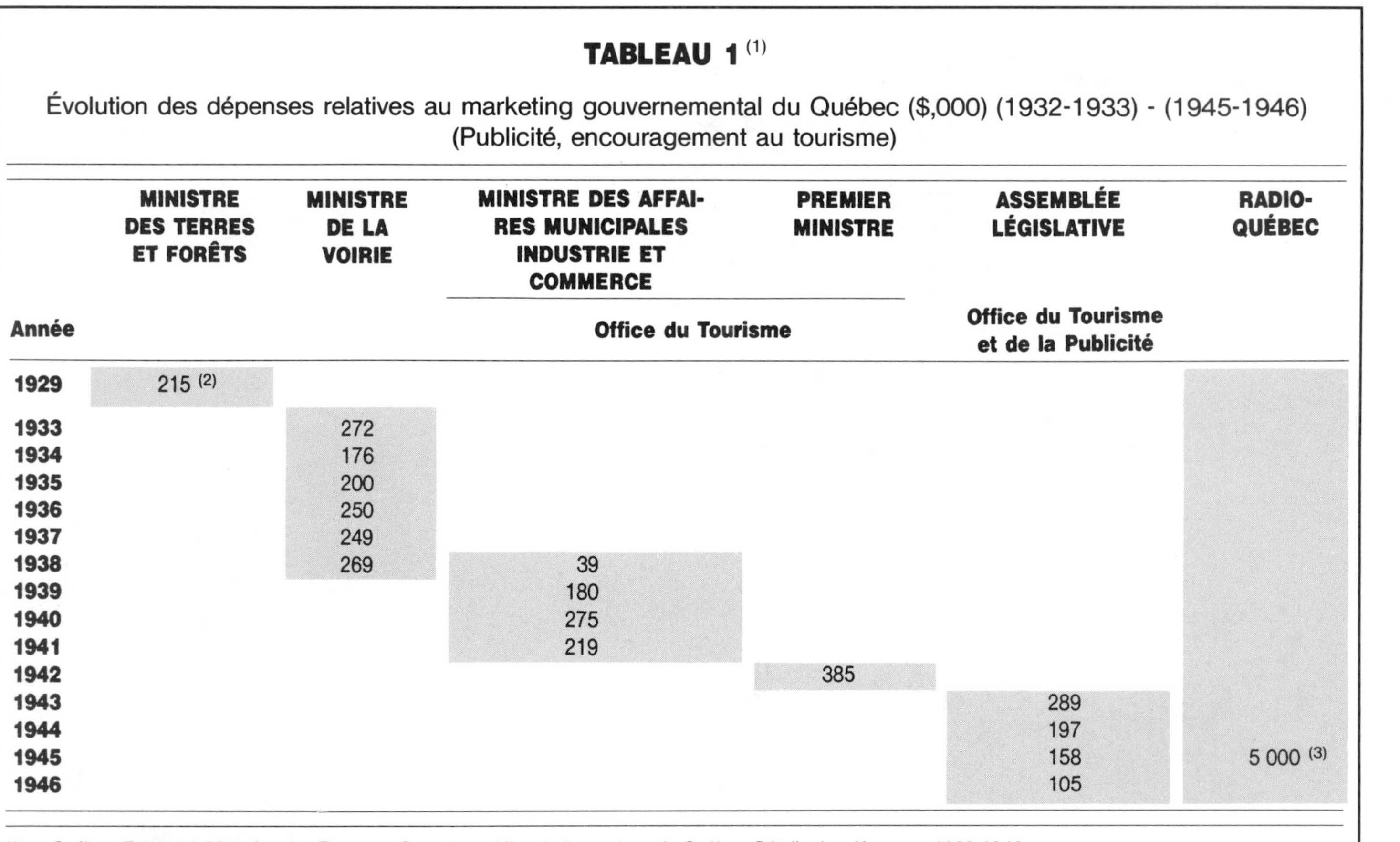

TABLEAU 1 [1]

Évolution des dépenses relatives au marketing gouvernemental du Québec ($,000) (1932-1933) - (1945-1946)
(Publicité, encouragement au tourisme)

Année	MINISTRE DES TERRES ET FORÊTS	MINISTRE DE LA VOIRIE	MINISTRE DES AFFAIRES MUNICIPALES INDUSTRIE ET COMMERCE	PREMIER MINISTRE	ASSEMBLÉE LÉGISLATIVE	RADIO-QUÉBEC
			Office du Tourisme		Office du Tourisme et de la Publicité	
1929	215 [2]					
1933		272				
1934		176				
1935		200				
1936		250				
1937		249				
1938		269	39			
1939			180			
1940			275			
1941			219			
1942				385		
1943					289	
1944					197	
1945					158	5 000 [3]
1946					105	

(1) Québec (Province), Ministère des Finances, *Comptes publics de la province de Québec, Détails des dépenses,* 1929-1946.
(2) Ce budget ne fut jamais utilisé. Voir: Georges V, chapitre 3, *Loi relative à la radiodiffusion en cette province* (sanctionnée le 4 avril 1929), articles 3 et 6.
(3) Ce budget n'a jamais été opérationnalisé.

TABLEAU 2 [4]

Évolution des dépenses relatives au marketing gouvernemental du Québec ($,000) (1946-1947) - (1961-1962)

	CONSEIL EXÉCUTIF			SECRÉTARIAT DE LA PROVINCE	
Année	**O.T.P.**	**Office Provincial de la Publicité**	**Service du Tourisme**	**O.P.P.**	**Total**
1947	194	68			262
1948		586	84		670
1949		668	92		760
1950		965	96		1 061
1951		811	99		910
1952		1 030	96		1 126
1953		1 495	90		1 585
1954		1 200	109		1 309
1955		1 263	94		1 357
1956		1 268	99		1 367
1957		1 270	103		1 373
1958		1 474	111		1 585
1959		1 552	109		1 661
1960		2 061			2 061
1961		524		1 044	1 568
1962				1 531	1 531

(4) Québec (Province), *Comptes publics de la province de Québec, Détails des dépenses,* Ministère des Finances, 1947-1962.

TABLEAU 3 [5]

Évolution des dépenses relatives au marketing gouvernemental du Québec ($,000) (1962-1963) - (1969-1970)

	SECRÉTARIAT DE LA PROVINCE		CONSEIL EXÉCUTIF		
Année	**Office du Tourisme**	**Office d'information et de Publicité du Québec**	**O.I.P.Q.**	**Campagnes d'information** [6]	**Total**
1963	1 340	366			1 706
1964	1 510	468			1 978
1965		1 220			1 220
1966		1 437			1 437
1967		301	1 158		1 459
1968			2 236	381	2 617
1969			5 104	688	5 792
1970			5 020	695	5 715

(5) Québec (Province), *Comptes publics de la province de Québec, Détails des dépenses,* Ministère des Finances, 1963-1970.
(6) Voir: Item #3. Comptes publics du gouvernement du Québec, Ministère du Conseil exécutif, 1967-1968.

TABLEAU 4 (7)

Évolution des dépenses relatives au marketing gouvernemental du Québec ($,000) (1970-1971) - (1977-1978)

Année	O.I.P.Q.	Campagnes d'information	Édition (8)	Édition et Communication	Communications gouvernementales et renseignements	Publicité des Ministères (9)	Total
1971	2 972	129					3 101
1972	2 701	207	444				3 352
1973	3 343	145	3 955			2 143	9 586
1974				7 982		2 925	10 907
1975			5 884		4 556	3 913	14 353
1976			8 326		4 473	4 427	17 226
1977			8 992		4 683	6 013	19 688
1978			9 924		4 373	4 802	19 099

(7) Québec (Province), *Comptes publics de la province de Québec, Détails des dépenses,* Ministère des Finances, Imprimeur de la Reine, 1970-1971 à 1977-1978.

(8) Inclut l'impression en Régie et la traduction.

(9) Budget calculé selon des années calendrier, les trois derniers mois de l'année fiscale ne sont donc pas compris. Ex.: On fait une équivalence entre l'année fiscale 1975-1976 et l'année calendrier 1975. De plus, ces budgets ne couvrent pas les coûts de production de la publicité.
Source: Elliott Measurement Research, Media Measurement Services, *Top 50 Advertisers in Canada*, Toronto, 1970-1977 inclusivement.

TABLEAU 5 [10]

Évolution des dépenses relatives au marketing gouvernemental du Québec ($,000) (1978-1979) - (1981-1982)

Année	Édition [11]	Édition [12]	Communications gouvernementales et renseignements	Publicité des Ministères[13]	Information et Publications gouvernementales[14]	Total
1979	11 419		5 486	11 409		28 314
1980		7 743	6 293	14 292		28 328
1981		7 731	8 619	16 996		33 346
1982				12 047	21 340	33 387

(10) Québec (Province), *Comptes publics de la province de Québec, Détails des dépenses,* Ministère des Finances, 1978-1979 à 1981-1982.

(11) Incluant l'Impression en Régie, la traduction.

(12) Incluant la documentation administrative et la traduction.

(13) Budget calculé selon des années calendrier; les trois derniers mois de l'année fiscale ne sont donc pas inclus. Ex: On fait une équivalence entre l'année fiscale 1979-1980 et l'année calendrier 1979. De plus, ces budgets ne couvrent pas les coûts de production de la publicité.
Source: Elliott Measurement Research, Media Measurement Services, Toronto, *Top 50 Advertisers in Canada.*

(14) Incluant la documentation administrative et la traduction.

TABLEAU 6 [15]

Évolution des dépenses relatives au marketing gouvernemental du Québec
Ministère des Communications ($,000) (1982-1983) - (1985-1986)

Année	Information et Publications gouvernementales [16]	Publicité des ministères [17]	Total
1983	24 016	11 917	35 933
1984	25 408	11 811	37 219
1985	26 592	17 800	44 392
1986	24 661	20 496	45 157

(15) Québec (Province), *Comptes publics de la province de Québec, Détails des dépenses,* Ministère des Finances, 1982-1983 à 1985-1986.

(16) Incluant la documentation administrative.

(17) Budget calculé selon des années calendrier; les trois derniers mois de l'année fiscale ne sont donc pas compris. Ex: On fait une équivalence entre l'année fiscale 1984-1985 et l'année calendrier 1984. De plus, ces budgets ne couvrent pas les coûts de production de la publicité.
Source: Elliott Measurement Research, Media Measurement Services, *Top 50 Advertisers in Canada* Toronto, 1982-1985.

B

Coût total du secteur des communications au gouvernement du Québec pour les années 1970 et 1983

TABLEAU 7 [18]

A) Tableau des dépenses en communications, information et publicité des ministères
(comptes publics pour l'exercice clos le 31 mars 1970)

MINISTÈRES	COMM.	PUB./INF.	MINISTÈRES	COMM.	PUB./INF.
Affaires culturelles	35 760,03	560 366,03	Revenu	941 275,71	4 040,60
Affaires intergouvern.	37 915,78	56 617,47	Richesses naturelles	63 009,43	114 596,23
Affaires municipales	13 823,24	63 331,47	Santé	223 307,94	26 211,94
Agriculture et Colonis.	294 220,11	306 506,88	Secrétariat de la prov.	41 364,13	446,78
Assemblée nationale	27 120,89	10 933,60	Terres et Forêts	142 986,71	21 116,99
Conseil exécutif	149 146,89	4 024 693,43	Tourisme, Chasse et Pêche	124 862,69	1 669 780,14
Éducation	228 484,63	466 340,43	Transports et Commun.	490 997,97	48 715,65
Famille et Bien-Être soc.	463 615,96	15 254,35	Travail et Main d'Oeuvre	104 543,07	100 362,94
Finances	18 230,08	5 464,70	Travaux publics*	6 042 115,27	— —
Immigration	2 930,52	123 271,36	Voirie	230 801,18	25 540,46
Industrie et Commerce	46 078,48	440 854,09	Service de la dette	— —	59 283,79
Inst. fin. Comp. et Coop.	6 986,90	2 621,57			
Justice	1 838 508,69	13 886,66	**TOTAL**	**11 568 086,30**	**8 159 237,56**

* Comprend le budget du réseau téléphonique gouvernemental.

B) Tableau des revenus annuels de certains organismes publics

ORGANISMES PUBLICS	**1967-1968**	**1968-1969**	**1969-1970**
Caisse de dépôt et plac. du Qué.	— —	35 307 000	55 825 000
Commission des accid. du travail	68 280 000	80 079 000	88 995 000
Commission du salaire minimum	3 726 000	3 962 000	4 744 000
Hydro-Québec	365 703 000	397 828 000	431 108 000
Office des autoroutes	11 539 000	13 131 000	14 018 000
Régie de la Place des Arts	1 796 000	1 394 000	1 365 000
Régie des alcools du Québec	197 845 000	128 564 000	205 618 000
Régie des rentes du Québec	242 095 000	267 323 000	318 861 000

(18) Ministère des Communicaftions, *Pour une politique québécoise des communications,* Jean-Paul L'Allier, Document de travail, mai 1971, p. 25.

TABLEAU 8 [19]

Tableaux récapitulatifs des budgets et effectifs relatifs aux principaux instruments de l'État en matière de communications
A) Budgets

	1968-1969	1969-1970	1970-1971	1971-1972
Régie des services publics	287 200	287 200	275 900	440 000
Éditeur officiel	350 800	416 000	439 400	1 621 700
Service de la polycopie	799 800	983 200	901 900	1 046 300*
Service de traduction	83 800	126 100	152 700	360 500
Office de Radio-Télédiffusion	5 095 000	7 000 000	5 948 000	4 758 000
Office du Film	853 600	830 100	930 000	1 037 300
Office d'information et Publicité	5 683 000	5 250 000	3 350 000	3 133 000
Ministère des Communications	Nil	Nil	1 200 000	12 323 000
Campagnes d'information	900 000	900 000	250 000	250 000
TOTAL	**14 053 200**	**15 792 600**	**13 447 900**	**23 923 500**

*Inclus dans le budget de l'Éditeur officiel pour cette année

TABLEAU 8 (suite)

B) Effectifs

	31-3-1969	31-3-1970	31-3-1971	autorisés budget 1971-1972
Régie des services publics	26	25	24	41
Éditeur officiel	38	42	43	49
Service de la polycopie	105	88	86	107
Service de traduction	13	20	19	24
Office de Radio-Télédiffusion	N/D	249	314	444
Office du Film	N/D	76	72	75
Office d'information et Publicité	166	162	159	170
Ministère des Communications	Nil	19	81	278
TOTAL	**348**	**681**	**798**	**1 188**

(19) Ministère des Communications, Jean-Paul L'Allier, Ministre des Communications, Pour une politique québécoise des communications, Document de travail, mai 1971, p. 23.

TABLEAU 9 [20]

Les moyens de communication compris dans le coût total du secteur des communications au gouvernement du Québec pour 1983

1) L'Édition

1. Périodiques autorisés et autres périodiques
2. Rapport annuel
3. Dépliants et feuillets
4. Affiches
5. Publications imprimées
6. Publications photocopiées
7. Brochures

2) L'information de presse

8. Communiqués
9. Discours
10. Conférences de presse
11. Relations de presse

3) Audio-visuel

12. Bandes magnétoscopiques (vidéo)
13. Diaporamas
14. Bandes sonores
15. Films
16. Émissions télévisées
17. Émissions radiophoniques

4) Soutien technique

18. Prêt d'appareils audio-visuels
19. Assistance technique et enregistrement
20. Bélinographes, télex et autres appareils de transmission similaires

5) Relations publiques

21. Expositions
22. Audiences publiques et tournées ministérielles
23. Congrès et colloques
24. Conférences d'information
25. Inaugurations et lancements
26. Accueil de visiteurs spéciaux

6) Publicité

27. Campagnes publicitaires mandatées
28. Campagnes publicitaires en régie
29. Publicité obligatoire (appels d'offre, avis publics, offres d'emploi)

(20) Conseil du Trésor, *Le coût et la productivité du secteur des communications au Gouvernement du Québec 1982-83*, mars 1984, p. 17-18-19.

TABLEAU 9 (suite)

7) Renseignement
- 30. Comptoirs de renseignements ministériels
- 31. Bureaux d'accueil
- 32. Aide aux citoyens

8) Soutien documentaire
- 33. Prêt de documents écrits
- 34. Information et référence
- 35. Prêt de documents audio-visuels

9) Rétroinformation
- 36. Sondages
- 37. Revues de presse écrite
- 38. Revues de presse des médias électroniques
- 39. Dossiers de presse
- 40. Rapports d'évaluation et de plaintes

10) Planification stratégique
- 41. Plans de communication

11) Administration générale

TABLEAU 10 [21]

Coût total du secteur des communications au gouvernement du Québec
Le coût total de 94 458 100 $ se ventile comme suit:

Dépenses	Montant en K$	%
Dépenses de fonctionnement des unités centrales spécialisées (M/O)	34 679,6	37
Dépenses de fonctionnement des autres unités administratives (sauf honoraires et contrats) M/O	14 792,8	16
Dépenses ministérielles de communications identifiables au secteur M/O	17 102,0	18
Dépenses sectorielles de l'instance centrale (Min. des Communications)	27 883,7	29
TOTAL	**94 458,1**	**100**

(21) *Ibid.*, p. 35.

FIGURE 11 [22]

Localisation des dépenses sectorielles globales

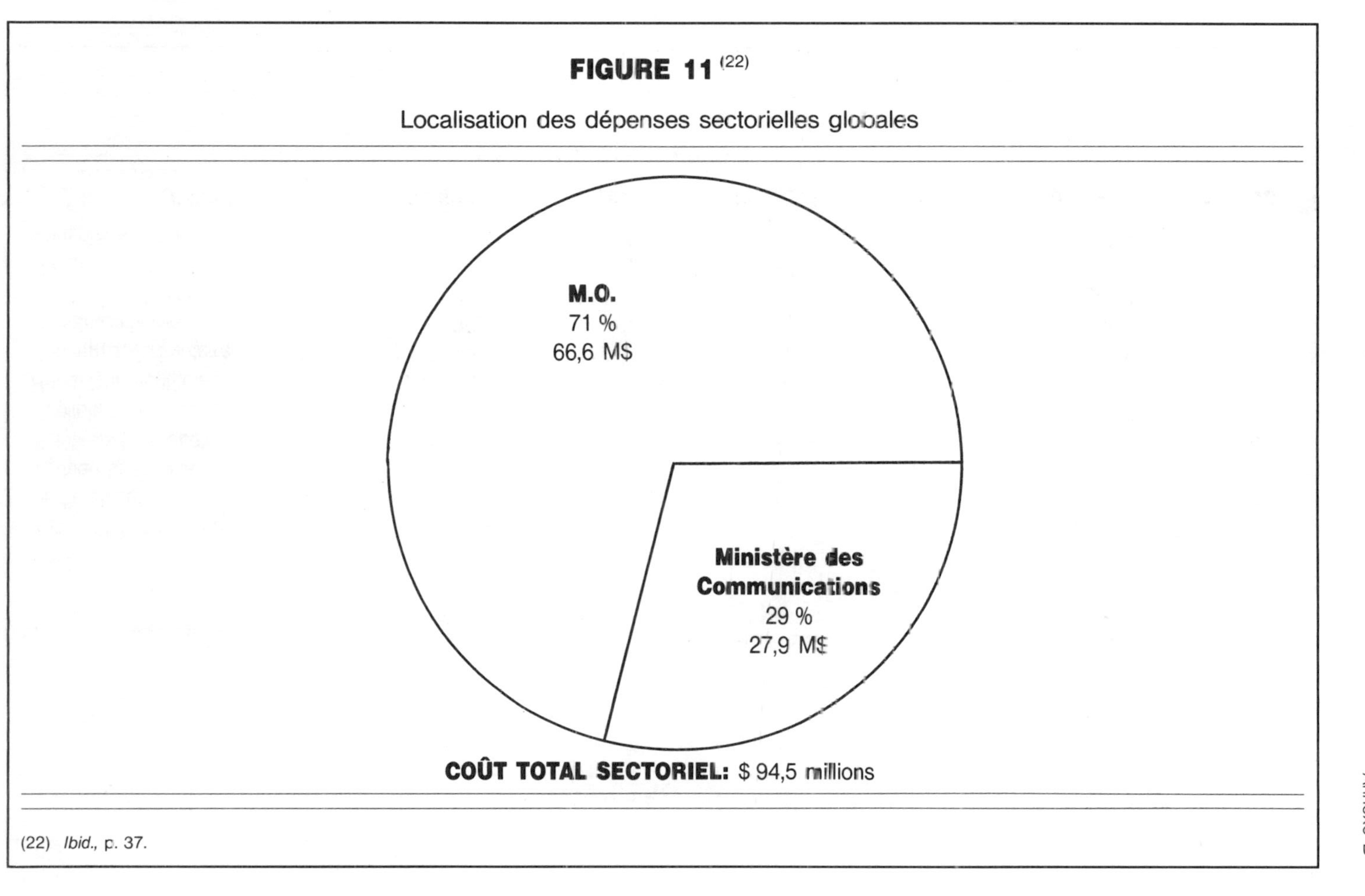

(22) *Ibid.*, p. 37.

TABLEAU 12 [23]

Sommaire des dépenses totales sectorielles par fonction

Fonction	M et O*		M.C.Q.**			
	Montant K$	%	Montant K$	%	Total K$	%
Édition	17 980,0	33,7	8 183,0	29,3	26 163,0	32,2
Information de presse	1 792,9	3,4	1 816,2	6,5	3 609,1	4,4
Audio-visuel	1 563,7	2,9	1 254,2	4,5	2 817,9	3,5
Soutien technique	7 313,3	1,4	231,9	0,8	963,2	1,2
Relations publiques	6 409,7	12,0	881,3	3,2	7 291,0	9,0
Publicité	7 991,1	15,0	7 297,4	26,2	15 288,5	18,8
Renseignement	6 578,1	12,3	1 998,7	7,2	8 576,8	10,6
Soutien documentaire	3 974,7	7,5	1 060,2	3,8	5 034,9	6,2
Rétroinformation	1 580,4	3,0	718,4	2,6	2 298,8	2,8
Planific. stratégique	686,1	1,3	—	—	686,1	0,8
Photo et traduction	1 011,0	1,9	2 148,1	7,7	3 159,1	3,9
Administration gén.	2 995,4	5,6	2 294,3	8,2	5 289,7	6,5
TOTAL	**53 291,7**	**100**	**27 883,7**	**100**	**81 175,4**	**100**

(23) *Ibid.*, p. 52.

* M et O: ministères et organismes.
** MCQ: ministère des Communications du Québec.

C

Effectifs liés à l'exercice de marketing gouvernemental au Québec en 1964 ainsi qu'au ministère des Communications entre 1972 et 1985

TABLEAU 13 [24]

Effectifs des bureaux de l'information des ministères
1964

MINISTÈRES	FONCTIONS							TOTAUX	
	Dir. de l'inf.	Agent d'inf.	Commis	Steno sec.	Commis dactylo	Commis Messager	Maquettiste	Actuel	Proposé
Conseil exécutif			à déterminer						
Affaires culturelles	1	1(1)		1	1			3	4
Famille et Bien-Être social	1	2(2)		1	2	1		5	7
Éducation	1	11(3)	7	3	6	3	1(1)	30	34
Santé	1	3(3)	2(1)	1	1			4	8
Travail	1	3(2)	2	1(1)	1(1)			4	8
Agriculture et Colonisation	1	4	1	2	1			9	9
Industrie et Commerce	1	7(2)	1	2	2		1(1)	11	14
Richesses naturelles	1	2(2)	2	1	1(1)			4	7
Terres et Forêts	1	2(1)		1	1(1)			3	5
Tourisme, Chasse et Pêche	1	1	1	1(1)				3	4

TABLEAU 13 (suite)

MINISTÈRES	FONCTIONS							TOTAUX	
	Dir. de l'inf.	Agent d'inf.	Commis	Steno sec.	Commis dactylo	Commis Messager	Maquet-tiste	Actuel	Proposé
Affaires municipales	1	2(1)	1	1	1			5	6
Transports et Communications	1	3(3)	1	1	1			4	7
Travaux publics	1	1(1)		1	1			3	4
Voirie	1	3(2)	2	2	1(1)	1		7	10
Affaires féd.-prov.									
Finances									
Revenu	1			1				2	2
Secrétariat		1		1				2	2
Procureur général				à déterminer					
TOTAL	**15**	**46(23)**	**20(1)**	**21(2)**	**20(4)**	**5**	**2(2)**	**99**	**131**

(24) Rock Pérusse, Rapport à la Commission du service civil concernant l'organisation des bureaux de l'information dans les ministères, Commission du service civil, 25 janvier 1965, p. 25 et 26.

( ) : nouveaux postes

TABLEAU 14 [25]

Effectifs liés à l'exercice de marketing gouvernemental
Effectifs 1972-1978
Ministère des Communications

Catégories d'emploi	1972-1973	1973-1974	1974-1975	1975-1976	1976-1977	1977-1978
Communications gouvernementales et Renseignements						
Cadres et assimilés	18	18	14	15	15	14
Professionnels	72	60	65	67	67	65
Techniciens	25	27	36	39	39	30
Employés de bureau	41	51	51	47	47	39
Ouvriers	0	0	2	2	2	2
Édition gouvernementale						
Cadres et assimilés	5	12	10	12	13	12
Professionnels	58	50	70	78	75	75
Techniciens	34	44	43	45	44	46
Employés de bureau	216	198	199	214	248	264
Ouvriers	1	1	4	4	9	13
Cinéma et audio-visuel						
Cadres et assimilés				2	7	5
Professionnels				23	29	25
Techniciens				26	8	6
Employés de bureau				43	67	34
Ouvriers				4	—	—
TOTAL	**470**	**470**	**494**	**621**	**670**	**630**

(25) Rapport des activités, Ministère des Communications, 1972-1973, 1973-1974, 1974-1975, 1975-1976. Rapport annuel 1976-1977, 1977-1978.

TABLEAU 15 [26]

Effectifs liés à l'exercice de marketing gouvernemental
Effectifs 1978-1981
Ministère des Communications

Catégories d'emploi	1978-1979	1979-1980	1980-1981
Information et Publications gouvernementales			
Cadres et adjoints			37
Professionnels			174
Agents de maîtrise			13
Techniciens			68
Employés de bureau			375
Ouvriers			15
TOTAL			682
Communications gouvernementales et Renseignements			
Cadres et adjoints	17	17	
Professionnels	76	32	
Agents de maîtrise	—	1	
Techniciens	21	21	
Employés de bureau	87	96	
Ouvriers	2	2	
TOTAL	203	219	

TABLEAU 15 (suite)

Cinéma et audio-visuel			
Cadres et adjoints	4	5	
Professionnels	30	27	
Agents de maîtrise	2	1	
Techniciens	2	6	
Employés de bureau	32	31	
Ouvriers	—	—	
TOTAL	70	70	
TOTAL	**273**	**289**	**682**

(26) Gouvernement du Québec, Ministère des Communications, Rapport annuel 1978-1979, 1979-1980, 1980-1981.

TABLEAU 16 [27]

Effectifs liés à l'exercice de marketing gouvernemental
Effectifs 1981-1985
MINISTÈRE DES COMMUNICATIONS
Information et publications gouvernementales

Catégories d'emplois	1981-1982	1982-1983	1983-1984	1984-1985
Cadres et adjoints	32	31	30	29
Professionnels	165	156	145	144
Agents de maîtrise	14	12	17	14
Techniciens	66	64	65	67
Employés de bureau	374	370	352	349
Ouvriers	12	11	14	13
TOTAL	**663**	**644**	**623**	**616**

(27) Gouvernement du Québec, Ministère des Communications, Rapport annuel 1981-1982 à 1984-1985.

Index des noms

A

B

C

D

E

F

G

J

K

L

M

N

O

P

Q

R

S

T

V

W

Y

Index des sujets

A

B

C

D

E

I

L

M

O

Achevé d'imprimer
sur les presses

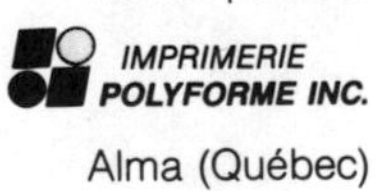

Alma (Québec)